RWANDA

Du même auteur

Psychologie de la mémoire, 2e édition, Éditions du Lévrier, 1964.

Le Fort Saint-Jean, Éditions du Lévrier, 1965.

The Unknown fort, Éditions du Lévrier, 1966.

Unsung Mission, Institut de Pastorale, 1968.

Dictionnaire de la psychologie et des sciences connexes (français-anglais et anglais-français), Maloine S.A., Paris, 1972.

Les Bataillons et le dépôt du Royal 22e Régiment, 1945-1965, Régie du R.22eR., 1975.

Les Défis du Fort Saint-Jean, Éditions du Richelieu, 1975.

La Seigneurie de Philippe Aubert de Gaspé, Saint-Jean-Port-Joli, Fides, 1977.

La Psychologie au secours du consommateur, Fides, 1978.

Histoire de la base des Forces canadiennes Montréal, CFB Montréal, 1981.

Le Régiment de la Chaudière, Q.G. du Régiment de la Chaudière, 1983.

Lady Stuart, Éditions du Méridien, 1986.

Les Voltigeurs de Québec, premier régiment canadien-français, Q.G. des Voltigeurs de Québec, 1987.

Le Collège militaire royal de Saint-Jean, Éditions du Méridien, 1989.

Philippe Aubert de Gaspé, seigneur et homme de lettres, Septentrion, 1991.

Le Collège militaire royal de Saint-Jean, une université à caractère différent, Septentrion, 1992.

Le 5e Régiment d'artillerie légère du Canada, BFC Valcartier, 1993.

La 16e Escadre Saint-Jean, ses antécédents et ses unités, La Beaucassière, 1994.

Les Casques bleus au Rwanda, L'Harmattan, Paris, 1998.

Les Voltigeurs de Québec, au service du Canada depuis 1862, Q.G. des Voltigeurs de Québec, 2002.

D'une seigneurie à l'autre, La Beaucassière, 2002.

C'était la guerre à Québec, 1939-1945, Art Global, 2003.

Jacques Castonguay

RWANDA

Souvenirs, témoignages, réflexions

Art Global

Données de catalogage avant publication

Castonguay, Jacques, 1926-
Rwanda : souvenirs, témoignages, réflexions
Comprend des réf. bibliogr. et un index.

ISBN : 2-920718-94-0

1. Rwanda – Histoire – 1994 (Guerre civile).
2. Nations Unies – Forces armées – Rwanda.
3. Castonguay, Jacques, 1926–. I. Titre.

DT450.435.C372 2005   967.57104'31   C2005-940014-5

Photographies des couvertures : Jacques Castonguay

Infographie : Marc Leblanc

Les Éditions Art Global remercient la Société de développement
des entreprises culturelles du Québec (SODEC) pour le soutien accordé
à ses activités d'édition et le gouvernement du Québec pour son
Programme de crédit d'impôt pour l'édition de livres.

Art Global reconnaît également l'aide financière du Gouvernement
du Canada par l'entremise du programme d'aide au développement
de l'industrie de l'édition pour ses activités d'édition.

© Art Global inc., 2005
384, avenue Laurier Ouest
Montréal, Québec H2V 2K7 Canada

Dépôt légal :

1er trimestre 2005
ISBN : 2-920718-94-0

Imprimé et relié au Canada

TABLE DES MATIÈRES

Préface

Ces dernières années, il y a eu plusieurs publications entourant le génocide qui a ébranlé le Rwanda en 1994. La majorité des livres racontent des faits qui ne viennent pas de la Mission des Nations Unies pour l'assistance au Rwanda mais plutôt du public ou des Rwandais qui ont été soit témoins ou victimes de ce génocide qui a duré 100 jours. Cet ensemble d'ouvrages a fourni une perspective très pertinente à propos de ce crime contre l'humanité et de ses effets sur les êtres humains qui ont subi ce sort épouvantable.

Seuls quelques écrits récents ont permis de pénétrer dans les corridors décisionnels des Nations Unies et de la communauté international sur le terrain au Rwanda pendant le génocide. Il y a encore moins de travaux sérieux qui ont été produits sur les événements au cours des 8 à 12 mois précédant ce désastre humain et la phase complexe du retour des réfugiés et des personnes déplacées. L'ouvrage du docteur Jacques Castonguay est un des rares livres qui reflètent les enjeux énoncés par les participants mêmes au travail des Nations Unies au Rwanda. Son volume non seulement nous offre des témoignages et des explications émanant des dirigeants, dont mon successeur, le major général Guy Tousignant, et moi-même, mais il nous permet de tirer des leçons qui se dégagent des différents forums ayant suivi le génocide.

Il est aussi très utile que ce livre contienne un résumé de l'évolution des ethnies pendant la période coloniale et l'ère de l'indépendance conduisant à la catastrophe de 1994. Ce travail procure au lecteur une réflexion en profondeur sur les enjeux ethniques auxquels font face les nations qui ont souffert du viol du colonisateur et qui ont tenté de créer des processus démocratiques sous la férule de dictateurs soutenus par l'axe Est-Ouest de la Guerre froide.

Le docteur Castonguay offre une perspective particulière des événements et des individus liés aux décisions qui ont été prises. Historien militaire de réputation, sa formation en psychologie, l'aide à saisir avec justesse et intuition les débats éthiques et moraux auxquels sont livrés les leaders dans les moments les plus critiques. Il a, de plus, établi des rapports personnels avec ces décideurs, ce qui lui a permis de les connaître d'une manière privilégiée et de nous communiquer une vision très claire de la situation.

Ce livre est bien écrit et facile à lire. Les événements sont présentés selon une chronologie qui permet au lecteur de suivre le déroulement des événements sans être entraînés dans les méandres des rapports et des interventions des nombreuses organisations et des individus. Les chapitres sont remplis d'anecdotes rendant compte des choix cruciaux qui ont été faits avant le génocide, pendant celui-ci et au cours de la reconstruction de ce jeune pays tentant de se relever de ce drame inimaginable.

Le livre de Jacques Castonguay est un excellent complément à l'ensemble des ouvrages relatant le génocide rwandais de 1994. L'auteur a très bien décrit les rouages des Nations Unies et la situation compliquée dans laquelle celles-ci se sont trouvées, alors que leurs priorités en matière d'intervention visaient d'autres régions, notamment l'ex-Yougoslavie.

Lieutenant général (ret.)
Roméo A. Dallaire

INTRODUCTION

En 1998, j'ai publié à Paris un ouvrage intitulé *Les Casques bleus au Rwanda*. Comme son titre le suggère, ce volume portait sur la façon dont les missions des Nations Unies se sont acquittées de leur tâche dans ce pays durant la terrible tragédie de 1994, laquelle fit quelque 800 000 victimes. En conséquence, les organisations mises en place par l'ONU à cette occasion et les forces commandées successivement par les généraux Roméo Dallaire et Guy Tousignant ont retenu spécialement mon attention. Cet ouvrage faisait d'ailleurs suite à un rapport historique que m'avait demandé de préparer le ministère de la Défense nationale en 1995.

Dans le présent volume, qui se veut naturellement différent du premier, j'ai fait des personnes qui ont vécu le drame rwandais ou qui l'ont connu de façon particulière mon sujet principal. Ne me bornant pas à rencontrer des autorités politiques et militaires, j'ai pris contact avec des membres d'organisations non gouvernementales, des missionnaires, d'humbles citoyens et des Rwandais vivant actuellement au Québec. Dans ce livre, qui est en quelque sorte une chronique de mes divers déplacements et des entrevues que j'ai réalisées, j'ai tenté de cerner en particulier la dimension humaine de ce conflit, plus précisément le monde complexe des émotions. Si la terreur et la peur, de même que le courage et la générosité, ont animé nombre de Rwandais durant cette crise, l'insécurité et la crainte ont été vraisemblablement la part de la totalité d'entre eux.

J'ai aussi accordé une grande importance dans cet ouvrage aux lieux où se sont déroulés les événements, les ayant connus lors de mon séjour au Rwanda. Ayant été intégré brièvement dans la Mission des Nations Unies pour l'assistance au Rwanda (MINUAR), j'ai visité des villages et des paroisses jonchés de milliers de cadavres. J'ai connu ainsi l'odeur persistante de la mort d'innombrables victimes exécutées à la machette. J'ai pris conscience une fois de plus du fait que l'homme n'est pas toujours l'animal raisonnable que l'on dit.

J'ai écrit jusqu'à maintenant plus d'une vingtaine d'ouvrages dans lesquels j'ai pris soin d'appuyer mes énoncés sur de nombreuses références. Dans les pages qui suivent, on trouvera très peu de ces références. S'il en est ainsi, c'est que j'ai consulté peu de travaux pour écrire ce livre. Il est davantage le résultat d'une expérience vécue et de témoignages obtenus à l'occasion de rencontres individuelles et collectives. Pour ce qui est de l'unité de mon travail, il provient du sujet traité, soit la descente aux enfers qu'ont connue les Rwandais en 1994. Quant aux chapitres, ils correspondent aux diverses étapes de mes recherches et de mes entrevues. Le premier chapitre a trait à mon premier contact avec le général Dallaire après son arrivée à Kigali, et le dernier porte sur ma rencontre avec le général Baril au mois de janvier 1996, à l'époque où il commandait la Force terrestre du Canada.

Il m'est impossible de remercier ici toutes les personnes qui, par leurs témoignages et leur collaboration, en particulier sur le terrain, m'ont aidé à comprendre le drame rwandais et permis d'écrire cet ouvrage. On trouvera cependant les noms de la plupart d'entre eux dans les divers chapitres. Je crois néanmoins devoir redire ici toute ma reconnaissance aux généraux Roméo Dallaire et Guy Tousignant, qui m'ont été d'un secours inestimable.

CHAPITRE I

DES QUÉBÉCOIS À L'AIDE DU RWANDA

J'avais entendu parler de l'Afrique centrale durant mes études classiques à Québec, mais j'en savais alors peu de chose, si ce n'est qu'elle se trouvait dans la région des Grands Lacs et que le Congo, le Burundi et le Rwanda en faisaient partie. J'ai commencé à m'y intéresser un peu plus durant les années 1950 alors que j'étudiais en Europe. À l'occasion de séjours à Paris, où j'assistai à quelques conférences à la Sorbonne, je constatai qu'un nombre important d'Africains fréquentaient cette institution célèbre. J'appris que la plupart d'entre eux venaient des colonies françaises ou sous mandat belge. Comme beaucoup de monde, j'entendis plus tard parler de la vingtaine de colonies africaines qui obtinrent leur indépendance au début des années 1960. Je ne pus m'empêcher de faire un lien entre ce fait et ce dont j'avais été témoin plus tôt à Paris.

Le Rwanda attira davantage mon attention lorsque j'appris que l'Agence canadienne de développement international (ACDI) s'intéressait de façon particulière à ce pays et que le père Georges-Henri Lévesque, ancien doyen de la Faculté des sciences sociales de l'Université Laval, avait quitté le Québec pour fonder à Butare, au sud du pays, ce qui allait être l'Université nationale du Rwanda. Non seulement la presse québécoise faisait état de cette initiative, mais elle rapportait que des universitaires québécois allaient se joindre au corps professoral en voie de formation. Ce fut entre autres le cas de Pierre Crépeau, qui assuma d'abord les responsabilités de secrétaire général de l'université naissante, puis celles de vice-recteur. Ce dernier se souvient aujourd'hui qu'en peu de temps une petite colonie québécoise vit le jour aux abords de l'université. C'est ainsi que le père Lévesque, qui avait été également vice-président du Conseil des Arts du Canada au moment de sa fondation, réussit en quelques années à mettre sur pied, avec ses collaborateurs et l'aide de l'ACDI, une maison d'enseignement supérieur respectable sur une des mille collines du Rwanda. En 1971, la survie de l'université semblant assurée, le père Lévesque, qui était alors âgé de 68 ans et comptait des réalisations impressionnantes, décida que le temps était venu pour lui de rentrer définitivement au Québec et d'écrire ses mémoires.

J'avais eu l'occasion de rencontrer le père Lévesque à quelques reprises durant mes études et mes premières années d'enseignement. Aussi je n'étais pas un inconnu pour lui. C'est ainsi qu'en 1971 il m'invita à aller le rencontrer, ainsi que Pierre Valcour, qui était à l'époque consul du Rwanda au Canada. L'un appuyant l'autre, ils me proposèrent le poste de recteur qui allait devenir vacant en 1972. Leur offre m'honora, mais comme ma connaissance du Rwanda était encore limitée à cette époque, je m'accordai une période de réflexion avant de donner ma réponse. Durant les semaines qui suivirent, je lus tout ce que je pouvais trouver sur le Rwanda. Je découvris rapidement que, depuis son accession à l'indépendance, ce pays avait connu de continuels affrontements entre les Hutus et les Tutsis, et qu'il en était de même au Burundi. Le gouvernement du premier ministre Kayibanda appréciait naturellement l'aide de l'ACDI, mais il ne négligeait rien pour s'assurer le contrôle de toutes les institutions gouvernementales. Il m'apparut alors que la direction de l'Université nationale ne pourrait pas faire longtemps exception à la règle. On appréciait aussi, il va sans dire, la présence des universitaires canadiens, mais on croyait que le temps était venu qu'un Rwandais dirige cette institution. On ne me cacha d'ailleurs pas qu'un membre du gouvernement convoitait ce poste. N'ayant jamais imaginé me retrouver un jour en compétition avec un autochtone pour l'obtention d'un poste dans une université africaine, je décidai sans peine de demeurer là où j'étais, c'est-à-dire au Collège militaire royal de Saint-Jean où, après avoir été directeur de département, j'occupais le poste de doyen de la Faculté des humanités et des sciences de l'administration. Enfin, j'appris quelque temps après qu'un Rwandais, membre du gouvernement, avait succédé au père Lévesque.

La librairie de l'Université nationale du Rwanda. L'université n'échappa pas aux événements de 1994 et dut fermer temporairement ses portes.
(Photo : J. Castonguay)

Durant les années qui suivirent, mon intérêt pour le Rwanda ne fut naturellement plus tout à fait le même, mais je n'oubliai pas ce pays pour autant. Lisant les journaux, j'appris qu'en 1973 Kayibanda fut écarté du pouvoir et que son successeur, Juvénal Habyarimana, se montrait plus conciliant avec les Tutsis. J'appris aussi que ces derniers, qui étaient nombreux en exil en Ouganda, s'impatientaient et parlaient de plus en plus ouvertement de leur retour prochain dans leur pays d'origine. En 1988, à l'occasion d'un congrès mondial de réfugiés tenu à Washington, ils avaient approuvé plusieurs résolutions relativement à leur droit de réintégrer leur pays. C'est ainsi que deux ans plus tard le Front patriotique rwandais (FPR), issu de la Rwandese National Union (RANU), qui regroupait les Tutsis en exil, en vint à passer à l'action et traversa en force la frontière séparant l'Ouganda du Rwanda. Bien que cette première invasion fût repoussée, en particulier en raison de l'intervention de troupes françaises, le FPR continua à harceler régulièrement les troupes rwandaises, sans refuser toutefois de négocier des accords avec le gouvernement d'Habyarimana. Un premier accord de cessez-le-feu fut ainsi signé le 19 mars 1991. Il fut suivi de plusieurs autres en 1993 et finalement d'un accord global intégrant tous les accords précédents et incluant le partage du pouvoir et le rapatriement des réfugiés rwandais. Concurremment, les Nations Unies accueillirent favorablement une demande d'assistance des deux parties et envoyèrent une mission technique chargée d'étudier la possibilité de déployer des observateurs à la frontière de l'Ouganda et du Rwanda. Cette mission, dirigée par le brigadier général Maurice Baril, un Canadien, s'étant montrée favorable à ce projet, le Conseil de sécurité de l'ONU adopta à l'unanimité une résolution créant une mission d'observation à la frontière de ces deux pays.

* * *

Depuis sa construction en 1885, le Manège militaire Voltigeurs de Québec, situé à proximité de l'Assemblée nationale du Québec, a été témoin de nombreuses cérémonies militaires relativement importantes. Il en fut de même le 1er juillet 1993. Ce jour-là, le public, venu nombreux assister au 25e anniversaire du 5e Groupe-brigade mécanisé du Canada, apprit au cours de la cérémonie que le brigadier général Roméo Dallaire cédait son poste au brigadier général Alain Forand, un vétéran des missions de Nations Unies au Sahara, à Chypre et en Croatie. La situation au Rwanda en était la cause, ainsi que la décision prise par le secrétaire général de l'ONU de demander au Canada d'assumer le commandement de la force qui aurait la responsabilité de surveiller la frontière entre l'Ouganda et le Rwanda de façon qu'aucune assistance militaire ne transite à cet endroit. Le Canada se fit un peu prier, mais accepta finalement qu'un de ses généraux assume le commandement de cette force, en l'occurrence le brigadier général Dallaire. Pourquoi avoir choisi le Canada pour cette mission et non la France ou la Belgique ? J'en connus la raison plus tard de la bouche de Patrick Mazimpaka, un ministre du gouvernement qui avait été mis en place en 1994 et qui était présent à Arusha au moment de la signature du célèbre accord qui porte ce nom. Le choix d'un Canadien pour être à la tête de cette mission fut un compromis. Les représentants du Rwanda désiraient que cette mission soit confiée à des troupes françaises, tandis que le FPR était disposé à accepter des troupes belges. Devant l'impossibilité de s'entendre, les parties demandèrent l'envoi de troupes africaines et belges, mais commandées par un Canadien.

* * *

Si je n'étais pas un inconnu pour le père Lévesque en 1971, je ne l'étais pas davantage pour le général Dallaire en 1993. Ma première rencontre avec lui remontait à 1964, année où il entreprit ses études au Collège militaire royal de Saint-Jean (CMR). Il faut dire que je perdis sa trace quelque temps par la suite, mais que je le retrouvai au même endroit en 1989, lorsqu'il prit le commandement du CMR avec le grade de brigadier général. À son instigation, je présidai en 1990 un groupe d'universitaires et de généraux à la retraite qui présenta un mémoire à la Commission Bélanger-Campeau sur l'avenir du Québec. Également à sa demande, j'écrivis et publiai deux ans plus tard l'histoire du Collège militaire royal de Saint-Jean et, en 1993, celle du 5e Régiment d'artillerie légère du Canada qu'il commanda de 1983 à 1985. C'est ainsi que le jour où le général Dallaire fut mis à la disposition de l'ONU pour le Rwanda, j'étais parmi ses invités et il fut longuement question du Rwanda dont j'avais étudié l'histoire auparavant. Aussi j'eus l'intuition ce jour-là que le pays des Mille Collines allait bientôt figurer de nouveau sur mon itinéraire.

Je ne m'étais pas trompé. Le Rwanda me rattrapa quelques mois plus tard. À la fin du mois de décembre 1993, je reçus de Kigali une carte de vœux du général qui m'invitait à aller le rejoindre pour recueillir les renseignements utiles à la préparation d'un rapport historique sur sa mission au Rwanda.

23 décembre 1993

Juste un mot pour vous dire que je suis toujours présent sur cette terre. Le travail est intoxicant dans ses défis, mais pas particulièrement reposant. C'est une expérience unique tant sur le plan professionnel que culturel. Quels merveilleux pays, climat et peuple. [...]

Serge Bernier désirait avoir un relevé historique complet d'une mission UN. Je lui ai parlé de vous avant de partir. Il me semble que l'histoire d'une mission avec les joueurs encore sur place, qui furent présents depuis la première reconnaissance, serait intéressante.

Je serais enchanté de vous recevoir ici. Si cela vous intéresse, veuillez lui en parler s.v.p.

R.A. Dallaire

Faute de ressources financières de la Direction Histoire et patrimoine du ministère de la Défense nationale, je ne me rendis pas au Rwanda en 1993. Je le fis toutefois plus tard. Entre-temps, je commençai mon travail au Canada avec les documents mis à ma disposition par la mission des Nations Unies et le général Dallaire, et grâce aux nombreux renseignements que ce dernier me fournit au cours de multiples rencontres.

Chapitre II

L'adjoint militaire du général, un témoin important

Les années 1990 ne furent pas des années ordinaires pour les missions des Nations Unies dans le monde. À un certain moment, environ 80 000 Casques bleus participaient à ces missions. À lui seul, le Canada fournit des militaires pour les opérations au Cambodge, en Yougoslavie, en Somalie, au Mozambique et plus tard au Rwanda. Les missions en Somalie soulevèrent en particulier une vive controverse en Afrique, en Europe et en Amérique du Nord. Au Canada, les journaux parlèrent avec abondance en 1994 de trois Somaliens, dont un âgé de 16 ans, qui avaient perdu la vie à Belet Uen, aux mains des soldats du Régiment aéroporté du Canada. On se souviendra ici que des procès eurent lieu cette année-là à Petawawa et que Kim Campbell, alors ministre de la Défense, fut contrainte de mettre sur pied une enquête pour faire la lumière sur cette affaire. On sait aussi que des membres des forces américaines et belges furent également accusés à cette époque de crimes et de brutalités en Somalie. On croit généralement qu'environ 400 Somaliens furent tués par des troupes belges et plusieurs autres par des Américains. C'est dire qu'en 1994 l'atmosphère n'était guère propice à l'envoi de troupes additionnelles à l'étranger, sous l'égide des Nations Unies.

À la suite de la signature de l'accord d'Arusha le 4 août 1993, le Canada consentit toutefois à ce que l'ONU nomme le brigadier général Dallaire commandant de la mission d'observation qu'elle s'apprêtait alors à mettre en place au nord du Rwanda. On l'a dit. Échaudé par les événements dont il vient d'être question, le Canada ne voulut guère faire davantage, même si le nouveau commandant désirait ardemment avoir quelques Canadiens avec lui. Il se ravisa néanmoins par la suite et accepta d'adjoindre au général un officier supérieur. Le Royal Canadian

Regiment, une unité d'infanterie en garnison à Gagetown, au Nouveau-Brunswick, accepta de se départir du major Brent Beardsley. Choisi par le général Dallaire lui-même parmi une dizaine d'officiers dont les noms figuraient sur une liste, Beardsley n'était pas le dernier venu en ce qui a trait aux missions de paix auxquelles avait participé le Canada. Au moment de sa nomination, il travaillait d'ailleurs à la rédaction d'un manuel sur les opérations de maintien de la paix pour le ministère de la Défense du Canada.

Au moment d'entreprendre mes recherches en vue de la présentation éventuelle d'une étude historique sur les missions des Nations Unies au Rwanda, on m'informa qu'il me fallait rencontrer au Nouveau-Brunswick le major Beardsley, sinon mon travail ne jouirait pas de la crédibilité nécessaire. Ce que j'acceptai sans hésitation. Le 6 mars 1995, je quittai donc Québec à destination de Gagetown. L'hiver sévissant toujours et les rafales de neige étant abondantes, le voyage n'eut rien des randonnées agréables auxquelles j'étais habitué durant l'été dans l'est du Canada. Aussi, j'eus l'impression que j'allais me souvenir longtemps de cette visite hivernale dans les Maritimes. Ce fut effectivement le cas. Non pas en raison de la neige, du vent et du froid, mais en raison de l'importance des renseignements que j'obtins du major Beardsley, revenu d'urgence au Canada avec ce qu'on croyait être la malaria.

Je découvris avec plaisir dès ma première rencontre que l'intérêt du major portait non seulement sur les organisations mises en places à cette occasion, mais aussi sur les personnes qui, à divers égards, prirent part aux événements. On convint ainsi d'abord de parler de l'effectif de la force de la mission. Même si celui-ci n'était pas très élevé, ses membres provenaient de 26 pays différents. Dix pays fournirent 10 hommes ou moins. Le pays qui envoya par ailleurs le plus gros contingent fut le Bangladesh avec 933 hommes ; venait ensuite le Ghana avec 800, puis la Belgique avec 424 et la Tunisie avec 60. Bien que le contingent de la Tunisie fut numériquement assez modeste il laissa sa marque au Rwanda. Pour Beardsley, ce petit contingent arrivé dès le mois de septembre dans le pays permit à la mission d'exister réellement dès l'arrivée du général Dallaire à Kigali, le 22 octobre. Par la suite, les Tunisiens se révélèrent les plus aptes à accomplir avec succès des missions dangereuses. La bravoure et l'efficacité étaient leur marque de commerce.

Les Belges, qui arrivèrent au Rwanda au mois de novembre, étaient pour leur part les mieux équipés. Ils étaient également bien entraînés et expérimentés. Venant de la Somalie, où ils avaient travaillé dans des conditions toutefois bien différentes de celles qu'ils rencontrèrent au Rwanda, ils ne furent pas de très bons gardiens de la paix. Ils formaient un demi-bataillon qu'on pouvait comparer d'une certaine façon au Régiment aéroporté du Canada. Ainsi, ils se firent remarquer non seulement sur le terrain, mais aussi dans les bars et les cafés de Kigali. Les fréquentations d'un certain nombre d'entre eux ne furent pas toujours celles que souhaitaient leurs supérieurs. De façon générale, les officiers étaient cependant bien perçus, efficaces et également bilingues. Ils tranchaient sur la troupe qui ne respectait guère les membres des autres contingents.

Le troisième contingent à arriver au Rwanda fut celui du Bangladesh. Un premier groupe comptant 564 hommes fit son entrée en décembre 1993. Il fut suivi par un second de 369 hommes en janvier de l'année suivante. Ce contingent impressionna seulement par son nombre. Chacun de ses membres avait bien un fusil, mais ça s'arrêtait là. Issu de divers secteurs de l'armée, il ne constituait pas vraiment une unité homogène. Il se révéla d'ailleurs peu utile lorsque le pays éclata.

Le quatrième contingent numériquement important à constituer la MINUAR fut celui du Ghana. Il arriva à Kigali au mois de février 1994. Bien que privé de véhicules, il assuma à lui seul le contrôle de la zone démilitarisée du nord du pays, puis plus tard la sécurité dans la capitale. Beardsley se souvient que les Ghanéens étaient aguerris et courageux. Ils permirent à la MINUAR de survivre durant les mois les plus difficiles de son existence.

Beardsley me donna aussi son opinion sur le représentant spécial du secrétaire général au Rwanda. Elle correspondait à ce que j'entendis par la suite sur lui au Rwanda et ailleurs. On me dit qu'il avait quitté Kigali pour le Kenya peu après le début des massacres et que ce fut un mauvais choix de l'ONU. Avant l'arrivée de son remplaçant, Shaharyar Khan, le général Dallaire dut prendre presque toutes les décisions réservées au représentant spécial. Il faut ajouter que le *chief administrator officer (CAO)* de l'ONU au Rwanda fut aussi un mauvais choix et que New York fut bien lent à remédier à la situation, ce dont souffrirent aussi la MINUAR et les agences de l'ONU. Les enquêteurs désignés par Kofi Annan en mai 1999 arrivèrent à la même conclusion que le major Beardsley, qui n'a pas oublié par ailleurs que ces deux fonctionnaires se déplaçaient dans un pays pauvre en voitures de grand luxe, et ce, aux frais des Nations Unies. Mon interlocuteur me parla aussi de l'influence parfois discutable qu'exercèrent les Belges, les Français et les missionnaires sur les Rwandais au XIXe siècle. Dans l'ancien régime monarchique, les Hutus et les Tutsis avaient besoin les uns des autres et ils vivaient en harmonie. La Belgique, puissance tutélaire, rompit cette interdépendance en appuyant d'abord les Tutsis durant de nombreuses années. Au moment de la révolution de 1959, les Belges, se rendant compte que les intérêts économiques allaient bientôt changer de mains, commencèrent à leur tour à s'intéresser aux Hutus, grands producteurs de thé et de café. Quant aux Français, ils se préoccupèrent tôt des Hutus dans le contexte de la francophonie mondiale. Lorsque les Tutsis, réfugiés en particulier en Ouganda, pays anglophone et protestant, se mirent à faire pression pour réintégrer le Rwanda, les Français cherchèrent à renforcer le pouvoir hutu. Au mois d'octobre 1990, la France envoya même des centaines de militaires dans le nord du Rwanda menacé et en partie envahi par le FPR. Des Français aidèrent alors les troupes rwandaises à s'organiser. Un officier français devint même conseiller de la Garde présidentielle.

Parlant de la révolution enclenchée par Grégoire Kayibanda qui mena à l'indépendance du pays en 1962, le major Beardsley émit l'opinion que l'éducation favorisée par les missionnaires permit aux Hutus de prendre conscience de leur sujétion à la monarchie des Tutsis et aux Rwandais en général de mesurer leur dépendance par rapport à la Belgique. On ne saurait facilement dissocier les événements récents de ce passé pas très lointain. Pour le major, la haine qu'on a remarquée chez ceux qui perpétrèrent les massacres s'explique, en partie du moins, par la crainte de voir les Tutsis s'emparer de leurs terres, de leur travail, de leurs écoles, bref, du peu qu'ils possédaient. Se sentant menacés et traqués, ils réagissaient comme les êtres de leur espèce réagissent dans des conditions comparables.

La question de savoir s'il y eut vraiment un génocide au Rwanda fut aussi abordée au cours de notre rencontre. Pour mon interlocuteur, il est certain que le Conseil de sécurité continua à parler, même après la déclaration positive sur ce sujet du rapporteur spécial Degni-Segui, d'«actes» de génocide et non clairement de génocide, sinon il lui aurait fallu intervenir. Sur le terrain, on s'apercevait, certes, que de nombreux massacres avaient été organisés et planifiés. On ne saurait pour autant nier qu'il y eut des massacres commis spontanément, sous le coup d'émotions vives, et apparemment à la suite des attaques haineuses et des accusations perfides de Radio des Mille Collines.

Beardsley voulut aussi expliquer comment fut prise la décision de réduire officiellement l'effectif de la MINUAR à 270 Casques bleus durant la deuxième semaine du mois d'avril 1994. Cette décision émanait du général Dallaire et du Secrétariat de l'ONU, après de longues discussions et pour plusieurs motifs. Le départ du contingent belge, qui constituait le fer de lance de la force, pesa beaucoup dans la balance. Ensuite le contingent du Bangladesh refusa d'utiliser ses armes. Enfin, le manque de vivres et le désir d'éviter d'inutiles pertes furent aussi pris en considération. On se souviendra que la force de l'ONU demeura au Rwanda malgré l'ordre émanant du secrétaire général de l'ONU, Bouthros Ghalis, de le quitter

Il fut aussi question, lors de ma visite à Gagetown, d'une cause de mécontentement relativement importante entre les officiers et les membres de la troupe qu'on n'évoque à peu près jamais dans les documents accessibles au public. Les officiers «observateurs» de l'ONU recevaient au Rwanda une allocation de subsistance quotidienne de 97 $US, pour couvrir les frais du logement, du lavage, des rations, etc. L'allocation de subsistance de tous les militaires des contingents n'était quant à elle que de 1,28 $US par jour. Plus encore, les civils au service de l'ONU (police et employés de bureau) étaient traités comme les officiers. Durant leur affectation à l'étranger, tous continuaient à recevoir leur salaire dans leur pays respectif. En outre, l'ONU versait pour chaque homme à son pays d'origine 1 000 $US par mois. D'où l'intérêt pour les pays pauvres de mettre l'accent sur le nombre plutôt que sur la compétence. S'il est vrai que la stratégie est essentielle sur le terrain, on ne saurait négliger pour autant l'importance du facteur financier, lequel peut constituer à l'occasion un irritant majeur.

J'ai séjourné à Kigali après le départ du major Beardsley. J'ai ainsi rencontré plusieurs Canadiens qui l'avaient connu au moment où se sont produits les massacres. Le général Dallaire lui avait donné la responsabilité de veiller à leur rapatriement lorsque l'ambassadeur du Canada crut que leur vie était en danger. Arrivé au Rwanda à la fin de novembre 1993, Beardsley avait appris à connaître rapidement la capitale et à savoir où résidaient bon nombre de Canadiens. Il lui revint de les amener en sécurité à l'aéroport où les attendaient deux appareils de l'ONU pour les transporter au Kenya et, de là, à bord d'appareils C-130 Hercules canadiens, à Trenton, en Ontario. On sait que la France et la Belgique firent de même pour ceux qu'ils appelaient leurs « expatriés ». Le souvenir que Beardsley laissa aux Canadiens est celui d'un homme compréhensif, efficace et organisé.

Autant le général Dallaire appréciait ses services en temps de paix comme en temps de guerre et sur tous les fronts, autant le major voyait dans son commandant celui qui avait donné la vie à la MINUAR et pouvait encore la sauver dans la tempête.

CHAPITRE III

ARRÊTÉES À KAMONYI ET ENTERRÉES VIVANTES

Je crois avoir appris un certain nombre de choses en parcourant le Rwanda du nord au sud et de l'est à l'ouest, alors que la tempête grondait encore dans les camps de personnes déplacées et de réfugiés et que de nombreux cadavres étaient la proie ici et là de faucons et de corneilles à tête tachetée de blanc. Il faut dire que les interviews que j'ai faites au Canada et à l'étranger m'ont aussi beaucoup aidé à me faire une idée de l'ampleur du drame vécu par la population de ce petit et merveilleux pays de l'Afrique centrale.

Après avoir rencontré le major Brent Beardsley, au Nouveau-Brunswick, je me suis rendu à Sainte-Foy, en banlieue de Québec, où avaient trouvé refuge neuf jeunes religieuses rwandaises de la Communauté du Bon Pasteur, en compagnie de leur supérieure, sœur Lise Gagné. Elles étaient à Kigali au début des massacres de 1994, en compagnie de plusieurs autres religieuses, dont près d'une douzaine connurent quelques semaines plus tard une fin tragique au Rwanda. Elles ont bien voulu me raconter ce qui était arrivé de leurs compagnes disparues.

Au début du mois d'avril, le couvent que leur communauté avait construit à Kigali, près de l'aéroport de Kanombe où l'avion du président Habyarimana avait été abattu, abritait 9 sœurs canadiennes et 25 rwandaises, soit 2 religieuses et plusieurs novices ou postulantes. Deux jours après le début des massacres, alors que ceux-ci commençaient à s'étendre à la grandeur du pays, les ressortissants voulurent quitter le pays. Aussi dès le 9 avril, la France dépêcha à cette fin à Kigali plusieurs avions C-160 Transal, et la Belgique, le lendemain, plusieurs appareils C-130 Hercules. Cinq religieuses canadiennes profitèrent de l'offre qui leur était faite pour quitter le pays avec les ressortissants français. On a raconté que les avions français acceptèrent aussi des familles rwandaises qui avaient raison de se croire menacées. Trois jours plus tard, le major Beardsley, désigné pour coordonner l'évacuation des Canadiens, se présenta au couvent de la Communauté du Bon Pasteur de Kigali pour convaincre les religieuses canadiennes qui s'y trouvaient encore que le temps était venu de partir. Elles étaient bien prêtes à le faire, mais à la condition que leurs compagnes rwandaises les accompagnent. Beardsley, qui avait le mandat d'évacuer seulement les citoyens canadiens expliqua aux deux groupes de religieuses qu'elles devaient accepter de se séparer. Bon gré mal gré, les Canadiennes prirent donc seules le chemin de l'aéroport où un avion de l'ONU les conduisit à Nairobi, au Kenya. De là, un appareil C-130 canadien les ramena à leur pays d'origine.

Ce que sont devenues les religieuses rwandaises demeurées à Kigali n'est pas facile à imaginer. Elles restèrent quelque temps dans leur couvent et reçurent la visite des miliciens interahamwes. Le 29 avril fut une journée de grand stress. Arrivés à l'improviste, les miliciens demandèrent aux Rwandaises de produire leurs cartes d'identité. Ils séparèrent ainsi les Hutues des Tutsies, en vue d'amener ces dernières avec eux. Les Hutues manifestèrent alors leur désapprobation en protestant, gémissant et priant. Une d'entre elles, plus audacieuse que les autres, supplia les miliciens avec force de ne rien faire, ce qui lui valut une grenade en pleine bouche. Une telle opposition surprit néanmoins les miliciens, qui avaient de la peine à comprendre pourquoi des Hutues prenaient partie pour les Tutsies. Incrédules, ils décidèrent finalement de quitter les lieux.

Le 19 mai, la force du FPR n'étant plus loin de la capitale, des militaires des Forces armées rwandaises se présentèrent à leur tour au couvent et s'emparèrent du minibus et de la camionnette qui s'y trouvaient. Ils voulaient se rendre à Gitarama où s'était installé le gouvernement intérimaire depuis plus d'un mois. Espérant être en sécurité à Kabgayi, située à quelques kilomètres plus loin, les religieuses décidèrent de partir avec eux. Parvenues à Kamonyi, à peu de distance de Kigali, elles furent toutefois arrêtées par une bande de Hutus particulièrement agressifs qui enlevèrent leurs cartes d'identité aux religieuses tutsies. Mais je cède ici la parole à sœur Denise Rodrigue, qui fut la supérieure générale de ces religieuses. Elle a décrit ce qui se passa à Kamonyi dans les termes suivants :

« À proximité d'une maison, il y avait un immense trou (environ un mètre de diamètre et 15 mètres de profondeur). En plus de les avoir frappées avec des gourdins, les bourreaux menaçaient nos jeunes avec des machettes. Elles les ont suppliés de ne pas les frapper avec les machettes et ont été exaucées. Toutes se tenaient par les épaules autour du trou. Les bourreaux ont donné l'ordre à sœur Francine de se jeter la première ; effrayée, elle n'a pu obéir à l'ordre […]. Frappée de nouveau, sœur Francine a dû faire le saut, puis les autres ensemble qui se tenaient par les épaules. Une fois dans les profondeurs, Démétrie [la survivante] dit qu'elles ont continué de dire le chapelet. Tout à coup, pendant qu'elles disaient "que Dieu nous pardonne, nous serons dans son Royaume", les bourreaux ont commencé à jeter de la terre, des pierres et des briques sur les corps. »

Des témoins ont raconté plus tard qu'une sœur échappa à la mort en réussissant à convaincre les miliciens qu'elle n'était pas Tutsie. Les autres furent achevées à la carabine. Quant aux religieuses qui ne furent pas arrêtées et massacrées à Kamonyi, elles trouvèrent refuge dans l'ouest du Rwanda, dans la « zone humanitaire sûre » de l'opération Turquoise établie par la France. Sœur Gagné, retournée au Rwanda, les retrouva là plus tard et, avec l'aide des troupes françaises, réussit à les faire traverser à Goma, au Zaïre. De là elles gagnèrent le Canada. Ce sont là les religieuses du Bon Pasteur que j'ai rencontrées à Sainte-Foy en mars 1995 et de nouveau au début de l'été suivant. Elles suivaient des cours à Québec à cette époque. Malgré le drame qu'elles avaient vécu, elles semblaient encore croire à l'existence possible d'un monde meilleur sur terre. De retour dans leur pays, où il n'y avait plus que deux religieuses de leur communauté, lesquelles œuvraient dans un dispensaire et un orphelinat rwandais, elles quittèrent définitivement la vie religieuse.

* * *

Curieux de savoir ce que pensait Lise Gagné des massacres dont elle avait été témoin, je lui posai la question à l'occasion des visites que je fis aux sœurs rwandaises de sa communauté. Sans savoir ce que pensait le major Beardsley, elle me donna une explication qui recoupait, du moins en partie, celle du militaire canadien. « Il était impossible de savoir à l'époque qui disait vrai au Rwanda. La masse était pourrie par le mensonge. La peur invitait tout le monde à rechercher la sécurité et à se défendre, et ce, de façon violente. Perdre son bien pour un Rwandais, c'est comme perdre sa position pour un politicien. C'est un vrai drame. C'est comme perdre sa vie. Aussi le Rwandais est-il prêt à se défendre en utilisant au besoin des gourdins cloutés, des machettes et des haches. »

L'opinion de Pierre Erny sur le même sujet, dans *Rwanda 1994* (p. 175 et 191), ne manque pas d'intérêt. Parlant de mouvement politique, il le dit « issu d'une civilisation de cour qui considère le mensonge comme un des beaux-arts » et « d'un système où tout le monde ment ». Plus loin, il écrit que « face au monde tutsi, les Hutus ne sont jamais parvenus à se débarrasser d'un sentiment d'infériorité. Si au Rwanda ils ont réussi à renverser le système monarchique, ils ont toujours le sentiment que leur victoire était précaire et qu'il fallait en défendre les acquis avec vigilance et obstination. D'où la mise en œuvre de tous ces moyens à la limite obsessionnels et odieux. » Dans les notations qu'il a recueillies auprès de ses étudiants à l'Université nationale, on lit que « les sentiments de haine sont très accentués chez les Rwandais. Ils se haïssent entre eux. Celui qui a beaucoup de champs, de vaches ou d'enfants sera absolument haï de ses voisins. Cette haine et cette jalousie se concrétisent par l'attentat à la vie de ces enfants ou de ces bestiaux. »

Sœur Gagné me confia aussi que « c'était affreux ce qu'on disait du général Dallaire », en particulier Radio des Mille Collines. La MINUAR n'avait pas les moyens de contrer l'influence de cette radio haineuse et d'expliquer sa raison d'être au Rwanda. Elle se taisait. Or, se taire au Rwanda, c'était être complice et, dans ce cas, complice des Tutsis. Là-dessus, on se souviendra que le général n'hésita pas à déplorer publiquement le fait que l'ONU ne l'autorisait pas à avoir un système de communication approprié à la situation dans laquelle il se trouvait. Bien plus, la presse écrite étrangère ne l'aidait guère. Le peu d'intérêt qu'éprouvaient alors les États-Unis pour le Rwanda faisait qu'il n'y avait pas à cette époque de journaliste américain dans la capitale.

Bien qu'elles aient perdu 11 religieuses lors du génocide, les sœurs de la Communauté du Bon Pasteur de Québec continuaient leur œuvre à Kigali en 1995. En haut, dans un dispensaire; en bas, dans un orphelinat situé à coté de leur résidence.
(Photos : J. Castonguay)

CHAPITRE IV

DE BRUXELLES À KIGALI

Aux yeux du général Roméo Dallaire, qui m'avait invité dès le mois de décembre 1993 à me rendre au Rwanda pour préparer sur place un rapport sur les missions des Nations Unies dans ce pays, il ne faisait pas de doute que je ne pouvais m'acquitter de cette tâche de façon décente sans me rendre sur les lieux et interviewer de nombreux témoins. C'est ainsi que n'ayant pu réaliser ce projet au début de son séjour au Rwanda, il revint à la charge en 1995 et obtint du lieutenant général Gordon Reay, commandant de l'Armée canadienne, l'accord souhaité pour m'envoyer rejoindre les Casques bleus canadiens en poste à Kigali, la capitale du Rwanda.

Mais on ne se rend pas dans un tel théâtre d'opérations sans prendre un certain nombre de dispositions. J'avais d'abord besoin d'un visa de l'ambassade du Rwanda à Ottawa. Il me fut aimablement remis avec la mention « mission officielle » et l'autorisation de demeurer un mois au pays. Cela ne manqua pas de m'ouvrir certaines portes, comme on le verra. Il me fallut par ailleurs recevoir plusieurs vaccins qui allaient, dit-on, m'immuniser contre la tuberculose, la polio, la fièvre jaune, la méningite, l'hépatite A et B ainsi que la grippe. Je reçus tous ces vaccins à l'hôpital du quartier général de la Force terrestre à Saint-Hubert. On me donna également des comprimés pour me protéger contre la malaria, une maladie répandue en Afrique centrale. On me remit aussi avant mon départ une couverture (Ranger Blanket), un grand sac de toile dit *kitbag*, des ustensiles de table et un contenant de deux litres d'eau avec la consigne d'en faire régulièrement usage, question de prévenir une possible déshydratation. Je reçus enfin à Kigali un béret bleu, un casque de la même couleur et un gilet pare-balles. Autant d'articles, m'assurait-on, dont pouvaient dépendre ma santé, mon travail et peut-être bien ma survie dans un des plus beaux pays du monde.

Le date de mon départ et la façon dont j'allais voyager furent plus difficiles à mettre au point. Si bien que j'eus l'impression que l'annonce de ma venue prochaine au Rwanda causait une certaine inquiétude à mes futurs hôtes. Que venait faire à Kigali un historien militaire au moment où le retour dans leur foyer des personnes déplacées par la guerre occasionnait dans le pays de multiples désordres, des massacres et même des pertes de vies ? Le Haut Commissariat des Nations Unies pour les réfugiés faisait en effet état de nombreuses personnes attaquées, maltraitées et même tuées. Au mois de mars de cette année-là, on comptait encore 250 000 réfugiés dans les camps rwandais. Pour plusieurs raisons dont la peur, un grand nombre d'entre eux refusaient de rentrer chez eux et quittaient le camp où ils se trouvaient pour aller se réfugier dans un autre. Le camp de Kibeho, situé dans le sud-ouest du pays, constituait une immense marmite dont le couvercle menaçait de sauter. Ce dont j'allais d'ailleurs être témoin. L'armée rwandaise, qui s'impatientait, n'hésitait plus à utiliser la force pour vider ces camps qui souillaient l'image du nouveau régime.

Il fut d'abord convenu, pour des raisons d'économie, que je voyagerais à bord d'un appareil de transport C-130 Hercules des Forces canadiennes. Ayant beaucoup voyagé dans cet avion durant mes 17 années de service dans la Force aérienne, j'étais entièrement d'accord avec cette décision. Je gardais d'excellents souvenirs des voyages que j'avais faits avec les appareils de l'Escadrille 435 de la base aérienne d'Edmonton, d'abord en Allemagne, puis à Resolute Bay, dans l'île Cornwallis, et à Alert, dans l'île Ellesmere et même à Thulé, au Grœnland. Je n'ignorais pas que les Hercules étaient un peu bruyants, mais aussi relativement rapides et sûrs. Le départ devait avoir lieu à Trenton, en Ontario, le 2 mai. Il fut cependant repoussé à la dernière minute au 4 du même mois, puis finalement annulé. On m'autorisa alors à me rendre d'abord en Angleterre, et ce, dans un avion commercial. Et tandis qu'on était à me réserver un siège sur un vol d'Air Canada, un message arrivant de Kigali demanda que mon départ soit remis au 21 mai, en raison d'une recrudescence des troubles au Rwanda. Finalement, je quittai le pays et Marthe, venue me reconduire à Mirabel, sur le vol AC 866 d'Air Canada en partance pour Londres, le 24 mai.

Le voyage de Mirabel à Londres fut sans histoire. À ma grande surprise, on m'avait réservé un siège en classe affaires et le vol fut paisible. Mes voisins, presque tous des hommes d'âge moyen, étaient plongés dans leurs documents ou dormaient. Peu d'écrans de télévision personnels étaient allumés. On reçut cependant beaucoup d'attention de la part du personnel de bord qui servit un bon repas et beaucoup à boire… selon le cas. L'arrivée à l'aéroport de Heathrow eut lieu à 6 h 30, heure locale. Je dois dire que j'eus de la difficulté à reconnaître les lieux que j'avais pourtant déjà vus quelquefois. Je découvris ce qui me parut un immense chantier de construction envahi par une foule très nombreuse et fort bruyante. Comme il me fallut changer d'aérogare pour trouver celui de Midland British Airways qui devait m'amener à Bruxelles, je dus emprunter trois autobus et traverser un vrai labyrinthe de passages et de ruelles encombrés de véhicules de toutes sortes faisant un bruit infernal. Je trouvai finalement la compagnie aérienne cherchée, mais personne n'avait entendu parler de moi et les ordinateurs ignoraient mon nom. Un superviseur appelé à la rescousse me sortit toutefois du pétrin. On avait écrit mon nom de famille avec la lettre G et non la lettre C, me dit-il. Je n'osai pas m'en plaindre puisque cette erreur était courante chez nous. On me remit finalement un billet pour Bruxelles, m'assurant que mes bagages étaient quant à eux en sécurité et que je les retrouverais à Kigali. J'arrivai à Bruxelles à bord d'un appareil 737 presque vide, à 10 h 30. L'aéroport n'était en rien comparable à celui de Heathrow. Il était paisible, propre et peu achalandé. Comme le reste de mon voyage devait se faire à bord d'un avion de la compagnie belge Sabena, dont le départ était prévu à 22 h 30 seulement, un minibus m'amena à l'hôtel Belson Brussels où je passai le reste de la journée. J'en profitai pour lire *Le Devoir* de la veille que j'avais apporté avec moi. On parlait de la mission des Nations Unies en Bosnie, en disant qu'elle était une mission de maintien de la paix dans un pays pourtant en guerre. Cela me ramena bien malgré moi à penser au Rwanda qui avait fait face à une situation semblable.

De retour à 19 h 30 à l'aéroport de Bruxelles, où il pleuvait abondamment, on m'informa que le départ allait avoir lieu à 22 h 05 et qu'il y aurait un arrêt à Entebbe, en Ouganda. À ma demande on m'assigna un siège au milieu de l'appareil, là où se trouvent les issues de secours. Au moment du départ, seulement la moitié des sièges étaient occupés et je m'aperçus que j'avais une voisine. Elle travaillait pour Caritas Autriche, une des nombreuses organisations de Caritas Internationalis œuvrant à la promotion de la solidarité et de la justice sociale dans le monde. Elle retournait à Gikongoro qu'elle avait dû quitter l'année précédente. En juillet 1994, cette localité abritait quelque 800 000 réfugiés. Susanne J. Brezina, c'était son nom, faisait partie d'une équipe de Caritas comptant sept médecins venus aider cette population aux prises avec la misère. À ses yeux, les Casques bleus avaient été accueillis chaleureusement par les Rwandais en 1993, mais ces derniers s'en étaient éloignés l'année suivante en raison de ce qu'ils considéraient comme leur inaction au cours des massacres des mois d'avril et de mai. Elle gardait néanmoins un excellent souvenir des Casques bleus ghanéens qu'elle disait toujours prêts à secourir de mille façons les victimes de la guerre. Elle se souvenait aussi que les Canadiens et les Américains avaient réussi à reprendre possession de l'aéroport et à rendre possible l'entrée de l'aide humanitaire dont avait grand besoin le pays.

Il faisait encore nuit au moment de l'atterrissage à Entebbe. Je remarquai que la plupart des passagers de race noire descendirent dans cette ancienne capitale de l'Ouganda comptant environ 40 000 habitants. Avec la permission d'un membre de l'équipage, je descendis de l'avion moi aussi quelques minutes sous prétexte de respirer l'air frais. Je voulais en réalité essayer de voir l'endroit où avait eu lieu en 1976 le célèbre raid israélien visant à libérer les otages d'un commando palestinien. Mais ce fut peine perdue. Personne ne put ou voulut m'aider. Je remontai dans l'avion sans laisser voir ma déception et regagnai paisiblement mon siège. Quelques minutes plus tard, Entebbe était derrière nous.

La nuit était encore totale lorsqu'on nous demanda de boucler nos ceintures en vue de l'atterrissage prochain à Kigali. Par mon hublot, je tentai de voir les lumières de la ville, mais je n'en vis aucune, vraisemblablement à cause du couvre-feu qui était alors en vigueur et de l'épais brouillard qui recouvrait la région. L'appareil poursuivit sa descente, mes oreilles bourdonnèrent comme d'habitude, puis les roues heurtèrent bruyamment le tarmac. Mon voyage de Montréal à Kigali ayant duré 36 heures, j'étais heureux d'être enfin arrivé à destination. Je ramassai mon imper, glissai dans mon porte-documents l'exemplaire du journal *Le Soir* que je m'étais procuré à Bruxelles, enfilai mon veston et sans plus attendre me dirigeai vers la sortie. Le Rwanda m'habitait d'une certaine façon depuis déjà neuf mois. J'allais dès lors faire vraiment connaissance avec ses montagnes, ses lacs et ses habitants.

CHAPITRE V

DANS UN AÉROPORT LUGUBRE EN FIN DE NUIT

Il faisait encore nuit lorsque notre quadrimoteur toucha la piste d'atterrissage de l'aéroport de Kigali. Notre traversée d'une partie de l'Europe et de l'Afrique avait duré dix heures, soit quatre heures de plus que le temps requis pour franchir la distance de Montréal à Londres. Au signal de l'arrêt complet de l'appareil, les quelques douzaines de passagers que nous étions se levèrent d'un bond de leur siège pour gagner rapidement les sorties situées près de la cabine de pilotage. On aurait pu croire à une évacuation d'urgence de l'appareil. Ce n'était pourtant pas le cas. Seulement le désir de fouler au plus tôt le sol rwandais où les attendaient des compagnons de travail. Deux minutes plus tard, tous franchissaient le point de contrôle des passeports et de la douane et prenaient possession de leurs bagages. Il fallait se trouver en Afrique pour être témoin d'un service aussi rapide et efficace…

L'aérogare mitraillée et bombardée durant les hostilités conservait encore des séquelles des combats. La salle des arrivées me parut particulièrement sinistre. Seule une faible lumière rendait possible l'identification des sacs de voyage. Quoi qu'il en soit, peu après l'arrivée tous les passagers avaient atteint la sortie avec l'espoir d'y trouver un moyen de transport. À cause du couvre-feu en vigueur durant la nuit, les premiers véhicules tardèrent cependant à faire leur apparition. Mais ils arrivèrent nombreux lorsque la brume opaque de la nuit commença à se dissiper. La plupart d'entre eux étaient peints en blanc et portaient en très gros caractères les lettres « UN » pour *United Nations*. J'étais certain que l'un d'entre eux était pour moi. On m'avait assuré au départ qu'un responsable des déplacements au quartier général de la Force terrestre à Saint-Hubert avait informé le contingent canadien à Kigali du jour et de l'heure de mon arrivée. Pourtant, aucun des véhicules ne m'était destiné. Tous semblaient avoir été dépêchés à l'aéroport pour recueillir des civils travaillant dans une des nombreuses organisations non gouvernementales (ONG) qui se trouvaient au Rwanda. D'autres véhicules UN se présentèrent toutefois, mais c'était encore pour d'autres personnes que moi. Après une bonne heure d'attente, au cours de laquelle quelques individus attentifs mais peu rassurants me demandèrent si j'avais besoin d'aide, je me résignai à retourner à l'intérieur de la salle d'arrivée. Je venais de m'y asseoir lorsque je vis tout à coup au fond de la salle une lumière s'allumer, là où se trouvait un petit tableau sur lequel on pouvait lire MINUAR (Mission des Nations Unies pour l'assistance au Rwanda). Je me dirigeai prestement dans cette direction pour découvrir ce qui me parut être une sorte de surveillant à demi endormi. Oui, il travaillait pour les Nations Unies et seulement pour elles et non pour moi, me dit-il. Il me fallut sortir mon passeport et lui montrer que j'étais en « mission officielle » pour qu'il consente finalement à téléphoner au bureau du général commandant la mission de l'ONU afin d'informer son personnel du fait que j'étais à l'aéroport et n'avait pas l'intention d'y demeurer. Quelques minutes plus tard, le soleil brillait heureusement sur Kigali et également pour moi.

D'autres véhicules immatriculés UN arrivèrent et cette fois l'un d'eux m'était destiné. Le capitaine Gordon Hagar, adjudant du 95e Groupe de soutien logistique cantonné à Kigali, était au volant. S'étant excusé de ne pas s'être présenté plus tôt, il m'expliqua que son unité n'avait reçu qu'un seul message du Canada, lequel précisait que j'arriverais à Kigali le 24 mai et non le 26. Ce pourquoi il s'était présenté inutilement à l'aéroport le 24 et de nouveau le 25 mai. Quoi qu'il en soit, j'étais dès lors entre bonnes mains et je devais le demeurer, puisque le capitaine-adjudant avait été désigné pour m'accompagner et me guider au cours de plusieurs de mes déplacements au Rwanda.

Les logisticiens canadiens étaient cantonnés à Kigali dans le complexe Trafipro, un important établissement construit par une entreprise suisse d'exportation. Avant les hostilités y logeait un réseau de coopératives de consommateurs dont le premier président fut nul autre que Grégoire Kayibanda, celui-là même qui mena le Rwanda à l'indépendance en 1962. Cet établissement, me

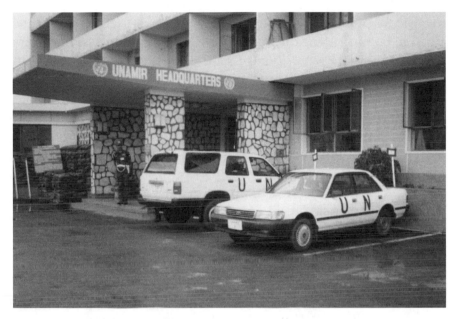

L'hôtel Amahoro où logea le quartier général de la Mission des Nations Unies pour l'assistance au Rwanda de 1993 à 1996.
(Photo : J. Castonguay)

déclara-t-on dès mon arrivée, avait été au centre de combats violents pour la prise de la capitale. Un de mes hôtes voulut m'en
donner la preuve en me montrant sous des conifères situés près
de la porte d'entrée de l'édifice principal les restes de quelques
combattants.

Je fus présenté dès mon arrivée au lieutenant-colonel Richard
Powell, commandant du 95e Groupe. Affable, il m'assura de son
appui et m'invita à me joindre à lui pour dîner. Préparé par un
cuisinier rwandais dans une cuisine mobile, mon premier repas
avec les Casques bleus canadiens fut sympathique. Ce n'était pas
ce que j'appellerais un repas savoureux, mais il était abondant.
Tous, du commandant au plus jeune des soldats, la dernière bouchée
avalée lavèrent eux-mêmes la vaisselle qu'ils avaient apportée du
Canada. Je fis de même trois fois par jour durant tout le voyage.

Le colonel Powell se montra dès l'abord intéressé par mon
travail. Il voulait savoir en quoi il consistait. Pour le rassurer, je
dus lui expliquer que je n'étais pas venu enquêter sur qui que ce
soit ou sur une chose en particulier, mais que j'étais simplement
venu recueillir des renseignements pour la préparation d'un rapport historique sur les missions des Nations Unies au Rwanda, à
compter de 1993. Le reste de la journée fut réservé à l'administration et à ce que j'appellerais des visites de courtoisie. Au quartier
général de la mission situé dans un hôtel à quelques pas du stade
Amahoro, on me photographia et me donna une carte d'identité
me faisant membre en bonne et due forme de la MINUAR. Après
quoi je saluai le général Tousignant, qui m'invita à le rencontrer
à sa résidence le lendemain soir. Je me rendis ensuite à l'ambassade du Canada où m'attendait M. Claude Latulippe, un vétéran
de l'ACDI qui, en l'absence de l'ambassadeur, remplissait les fonctions de consul. Il fut naturellement question de la situation au
Rwanda. Sans vouloir se montrer pessimiste, il n'hésita pas à
affirmer que le Rwanda avait un grand besoin d'aide et que le
Canada avait fait sa part et continuerait à la faire. À ses yeux, la
présence de la MINUAR était également indispensable à la sécurité, non seulement dans les villes et les villages mais aussi dans
les camps de réfugiés. Enfin, il me proposa de le revoir bientôt

pour lui faire part de mes observations. Le capitaine Hagar assista avec intérêt à la rencontre.

Cette seconde visite terminée, je me rendis chez le père Henryk Hoser. Il assumait temporairement les fonctions de nonce auprès du gouvernement rwandais. Résidant dans une communauté religieuse, il m'invita à venir le rencontrer plus tard à la nonciature apostolique. Il avait beaucoup de choses à me dire et il le fit sans détours. Polonais d'origine, il croyait pouvoir exprimer lui aussi avec fermeté la pensée de son compatriote Jean-Paul II. J'en profitai pour visiter l'église attenante à sa résidence. On l'avait vandalisée au début des massacres et on avait rayé les mots « Dieu est amour » apparaissant sur un mur contigu à l'autel.

J'avais lu passablement de documents avant de quitter le Canada et j'avais interviewé à plusieurs reprises le général Dallaire. Aussi je n'arrivais pas à Kigali sans préparation aucune. Désireux toutefois de me faire rapidement une idée plus précise des lieux où avaient débuté les massacres le 7 avril, je demandai à mon guide, qui, avec son arme automatique à ses côtés, se prenait pour mon garde du corps, de me conduire au centre-ville, le lendemain de mon arrivée. Trafipro, où je demeurais, est situé au sud-est de la colline Nyarugenge où se trouvent les édifices gouvernementaux et commerciaux, les banques, quelques hôtels, la cathédrale et l'église Sainte-Famille. On pouvait s'y rendre en temps normal en environ dix minutes, en utilisant le boulevard de l'OUA qui débouche sur la place de l'Unité nationale. À mon arrivée à Kigali, les feux de circulation étant défectueux, la chaussée défoncée par endroits et couverte de boue, la course était naturellement plus longue, même si on recommandait aux chauffeurs de ne pas s'arrêter aux intersections pour éviter les cambriolages. On racontait qu'il n'était pas rare de voir des véhicules des Nations Unies disparaître par hasard en cours de route, laissant leurs passagers regagner leurs quartiers à pied.

Parvenu à l'église Sainte-Famille, à proximité de la place de l'Unité nationale, je demandai à mon guide-chauffeur de me laisser descendre. Je voulais tout d'abord voir l'intérieur de ce temple. J'avais lu que son curé, un personnage énigmatique s'il en est, avait donné asile à pas moins de 8 000 personnes au début des massacres, mais qu'il ne s'était pas opposé plus tard à ce que les miliciens s'emparent d'un certain nombre d'entre eux dont les noms apparaissaient sur une liste. Le chef de cabinet du ministre de la défense Kagame me raconta un jour qu'une soixantaine d'enfants furent ainsi livrés aux miliciens. Je voulus par la suite marcher seul sur les traces des Casques bleus et d'Agathe Uwilingiyimana, première ministre, qui perdirent la vie durant les premières heures des massacres. Remontant lentement l'avenue de la République, j'arrivai sans difficulté à l'endroit où le général Dallaire, au début de la crise, voulant se rendre à une réunion des chefs militaires rwandais, fut arrêté à un barrage et contraint de descendre de son véhicule et de poursuivre sa route à pied. Il désirait alors savoir ce qu'allait faire l'armée rwandaise pour rétablir l'ordre dans la ville. Continuant ma marche en direction sud, je m'engageai dans l'avenue Paul VI et réussis à l'aide d'un passant à localiser la maison où Agathe Uwilingiyimana se trouvait avec ses enfants lorsqu'on lui demanda de se rendre à Radio Rwanda pour s'adresser à la nation et tenter de calmer les esprits. On sait qu'elle ne réussit pas à atteindre son objectif, comme on l'espérait, et qu'elle dut s'enfuir de sa résidence pour se réfugier dans une maison du Complexe des Volontaires des Nations Unies, lequel est situé deux rues plus au nord de l'Avenue des Mille Collines. Bien qu'Agathe se trouvait ainsi dans un établissement des Nations Unies, les militaires rwandais y pénétrèrent, réussirent à la débusquer, l'amenèrent à l'extérieur et l'abattirent, ainsi que son mari. On se souviendra ici qu'un officier sénégalais, d'un courage peu commun, prit alors sur lui de faire monter dans sa camionnette les enfants de Madame Agathe, comme on appelait la première ministre, et de les transférer à l'hôtel des Mille Collines où ils allaient être plus en sécurité. L'opération fut un succès. On pense que ces derniers vivent aujourd'hui en Suisse.

Par la suite, je remontai l'avenue des Mille Collines, je passai devant la cathédrale Saint-Michel, qui me rappela que l'archevêque de Kigali avait lui aussi été tué, et m'arrêtai à mon tour au siège du Programme des Nations Unies pour le développement (PNUD) pour tenter de comprendre ce qui s'était passé là. N'ayant rien appris, si ce n'est que les édifices de l'ONU à l'étranger ne semblent vraiment pas sécuritaires, je m'engageai cette fois sur le boulevard de la Révolution en direction sud, je passai à proximité du ministère de la Défense, pour arriver enfin en face du trop célèbre camp Kigali. Mes lectures me revenant à la mémoire, je me rappelai à cet endroit que les Casques bleus belges envoyés protéger la première ministre avaient été massacrés dans ce camp et que le général Dallaire n'avait pu leur venir en aide, son chauffeur rwandais ayant refusé d'obtempérer à son ordre d'arrêter, avait au contraire accéléré et pris la direction de l'École supérieure militaire. Face au camp Kigali se trouve le Centre hospitalier de la ville. Je m'y arrêtai également pour observer les militaires australiens qui, malgré l'état lamentable de l'édifice, faisaient quotidiennement des miracles. Civils et Casques bleus y étaient soignés sans distinction. Enfin, parvenu à la morgue, je me rappelai que c'est là que furent empilés les corps des Casques bleus massacrés en voulant protéger Madame Agathe.

Au sortir de l'hôpital je n'hésitai pas un instant à remonter dans mon véhicule pour regagner Trafipro. C'était beaucoup d'émotions pour une première journée au Rwanda.

CHAPITRE VI

NYARUBUYE : L'ÉGLISE, UN REFUGE MORTEL

J'ai appris, peu après mon arrivée au Rwanda, que plusieurs milliers de cadavres des victimes des massacres de l'année 1994 n'avaient pas été ensevelis, à la demande du gouvernement, question de montrer aux étrangers l'ampleur des massacres qui avaient eu lieu cette année-là. Je fus également mis au courant du fait qu'un nombre important de cadavres étaient exposés à ciel ouvert dans une banlieue de Kigali et qu'il en était ainsi à Nyarubuye, dans la commune de Rusumo, à une dizaine de kilomètres de la frontière de la Tanzanie. Avant même que je songe à me renseigner sur ces cimetières à ciel ouvert, j'appris par le lieutenant (M) Kent Page, officier des affaires publiques de la MINUAR, que le général Tousignant m'autorisait à me rendre en hélicoptère à Nyarubuye, si je le désirais. Étant venu au Rwanda pour constater de visu ce qui s'était passé, j'acceptai volontiers de faire le voyage.

C'est ainsi que, dès le lendemain, Kent Page et moi, ayant pris la précaution d'apporter nos gilets pare-balles et nos casques d'acier, nous dirigeâmes vers l'aéroport de Kigali, où un hélicoptère de l'ONU nous attendait. Empruntant le boulevard de l'OUA, nous n'avions pas à traverser le centre-ville et en peu de temps nous fûmes aux abords de l'aéroport. Il ne nous restait plus qu'à nous rendre à l'entrée du secteur réservé aux hélicoptères. Mais, arrivés là, une mauvaise surprise nous attendait. Un soldat de l'Armée patriotique rwandaise (APR) nous ordonna de ne pas aller plus loin. Bien plus, l'entrée était fermée par un gros tronc d'arbre muni de pointes d'acier. Habitué à ce genre d'affaires, mon compagnon s'engagea dans une vive discussion avec le militaire rwandais. J'étais certain que les choses allaient mal tourner lorsque je vis le soldat demander de l'aide pour retirer le tronc d'arbre qui fermait l'entrée. Il y avait quatre hélicoptères sur le tarmac. On nous dirigea vers le quatrième. Le pilote, Graham Poole, qui travaillait pour la Canadian Helicopters, était déjà à bord. Il nous donna rapidement les consignes de vol habituelles, ainsi que des écouteurs et des microphones. Sans plus attendre, il démarra son appareil. Ainsi en fut-il pour les autres appareils dans lesquels étaient montés des représentants du gouvernement. Suivit une demande de permission de décoller. Et un grand silence. Et ce fut tout. Le pilote se tourna vers nous et nous invita à retourner à la salle des départs où nous apprîmes que les hélicoptères étaient cloués au sol depuis deux semaines et qu'il n'était pas du tout certain qu'ils décolleraient ce matin-là. L'attente dura une bonne heure. Finalement, grâce à l'intervention de membres de l'APR venus du quartier général de la MINUAR, le problème avait été, nous dit-on, résolu. Nous remontâmes donc à bord de l'hélicoptère dans lequel Poole avait de nouveau pris place. Ce dernier répéta les consignes en vigueur, démarra son appareil, redemanda la permission de décoller… et de nouveau se tourna vers nous : « Rien à faire aujourd'hui. » Cette fois-là nous regagnâmes Kigali. Au quartier général de la MINUAR, le général Tousignant nous attendait. Il était au courant de tout. Il nous raconta avec moult détails qu'un capitaine de l'APR attaché à son quartier général se prenait pour le ministre de la Défense et donnait des ordres de toutes sortes au personnel de l'aéroport. Il avait ordonné aux hélicoptères transportant des membres du gouvernement de décoller et au quatrième hélicoptère nous transportant de ne pas le faire. Le général, qui était renseigné sur ce qui se passait, avait répondu : « Tous les hélicoptères décollent ou aucun d'eux. » Ce ne fut, ce jour-là, aucun d'eux. Pour le général, il ne s'agissait pas d'un incident négligeable. Le problème, qui durait depuis deux semaines, était une manœuvre de l'Armée rwandaise pour affaiblir l'autorité de la mission et l'amener à réduire graduellement ses effectifs. Il n'était pas question pour le général de plier, et il ne plia pas.

De retour à Trafipro, j'en profitai pour me familiariser davantage avec les lieux. Je découvris ainsi à l'arrière de l'établissement que le bruit que nous entendions vingt-quatre heures par jour provenait des moteurs de notre système de filtrage d'eau qui, pour répondre aux besoins de très nombreux établissements dans la région, ne devait pas s'arrêter. Ma visite des lieux commençait à peine qu'on m'apporta un message du quartier général de la mission qui m'indiquait qu'on allait tenter de nouveau de se rendre à Nyarubuye le lendemain.

Tôt le lendemain, je repris donc le chemin de l'aéroport en compagnie de Kent Page. Nous y fûmes un peu avant huit heures. Pas de contrôle, ni de tronc d'arbre à l'entrée cette fois. Graham Poole nous attendait dans la salle des départs. Quelques minutes plus tard, nous décollâmes en direction est pour Nyarubuye. Le vol dura à peine une heure, mais il ne manqua pas d'intérêt. Je découvris du haut des airs quelques-unes des magnifiques collines du pays. Le ciel vraiment bleu était parsemé de cumulus comme on n'en voit pas chez nous. On apercevait ici et là de modestes habitations, quelques troupeaux et plusieurs prés verdoyants. Poole nous demanda bientôt d'attacher nos ceintures et, à la vue d'une église entourée de bâtiments, il entreprit une courte descente qui nous mena dans un enclos complètement sauvage.

Pas de comité d'accueil à Nyarubuye. Personne pour nous dire de ne pas aller plus loin. Les fleurs et l'herbe n'ont même pas été foulées ou écrasées. Sans plus attendre, nous nous dirigeons vers le bâtiment le plus rapproché pour découvrir sur les côtés et à l'intérieur des centaines de cadavres de même qu'un militaire qui ne semble pas du tout heureux de nous voir. Bientôt arrivent au pas de course six autres militaires qui nous demandent de montrer nos passeports et un document attestant que nous sommes autorisés à venir à cet endroit. Tout à coup, le plus âgé de tous, celui qui commande les autres, dit reconnaître Kent Page. En effet, il l'a rencontré à Kibeho il y a quelques mois. Cela contribue, il va sans dire, à détendre un peu l'atmosphère. Page se charge alors de faire les présentations. Notre « hôte » s'appelle Francis Mugirazina. Il a 43 ans et a pris part à la bataille de Kigali. Né en Ouganda, il se propose de s'établir à Nyarubuye et d'y faire venir sa femme qui a des vaches, pas beaucoup toutefois, insiste-t-il. J'avais lu que le massacre de Nyarubuye avait débuté le 9 avril, environ vingt-quatre heures après ceux de la capitale. Mugirazina l'affirme lui aussi, ajoutant que seulement deux adultes et deux enfants avaient réussi à s'échapper. J'avais aussi lu cela quelque part. Dans l'école, la salle communautaire et les autres bâtiments, je vois partout des squelettes, des centaines de squelettes, les uns avec tous leurs membres, les autres sans tête, sans bras ou sans jambes. Certains sont assis fixant le plafond, d'autres couchés la tête contre terre. Des squelettes d'enfants, des bandages autour de la tête, côtoient ceux des adultes. Ils ont les doigts ou les mains coupés. Mugirazina explique : les assaillants étaient des miliciens interahamwes qui utilisaient des machettes, des haches, des bâtons et des grenades. Ils n'avaient qu'un seul but, faire aux Tutsis ce que ces derniers avaient fait auparavant aux Hutus. François-Xavier Verschave, dans son livre intitulé *Complicité de génocide*, a dit de ces miliciens qu'ils « appartenaient à une jeunesse mal scolarisée, déboussolée et manipulable à coups d'argent, de bière et de chanvre indien ». La visite de l'église, une construction robuste en pierres sur laquelle trône une statue du Christ les bras ouverts en signe d'accueil, se révèle pénible. Notre guide rwandais raconte que les douilles de cartouches qui jonchent le sol sur la façade proviennent du fusil de chasse utilisé par le curé de la paroisse pour tenter de repousser les assaillants. Il y laissa lui aussi la vie. Je ramasse une de ces douilles en carton et décide de la conserver comme on conserve une relique précieuse. Peut-être s'agissait-il d'un saint comparable à nos « martyrs canadiens ». Des vêtements sacerdotaux et des livres de prières sont éparpillés au milieu de nombreux cadavres. Plusieurs paroissiens et paysans des environs s'étaient réfugiés dans ce temple en pensant y sauver leur vie. Ils y trouvèrent au contraire la mort. On constate aussi que l'autel situé au centre de la nef n'a pas échappé aux miliciens. Les bougies et les fleurs sont disparues pour faire place à des ossements. Enfin, une statue de la Vierge, la tête arrachée, complète le macabre décor. Seul le chemin de la Croix est intact, rappelant à sa façon le sort réservé aux 4 000 Rwandais qui se trouvaient ce printemps-là réunis à Nyarubuye. On a raconté que, pour sauver leur vie, quelques paroissiens s'étaient joints aux Interahamwes, avaient crié comme eux, pourchassé leurs voisins une machette à la main et vraisemblablement tué, eux aussi. Je pense bien qu'il n'y a rien qui n'ait été dit au sujet de ces massacres.

La visite de l'église terminée, accompagnés par nos gardes qui ne nous avaient pas quittés d'une semelle, nous regagnâmes tranquillement l'hélicoptère où nous attendait patiemment le pilote. Les Rwandais, qui n'avaient vraisemblablement jamais vu d'appareils semblables de près, s'en approchèrent pour l'examiner. Ils demandèrent s'ils pouvaient voir aussi l'intérieur, ce que ne leur refusa pas le pilote. Devant l'enthousiasme qu'ils avaient de la peine à dissimuler, Poole, habitué à transporter des membres du gouvernement très peu reconnaissants, suggéra discrètement à Page de les amener faire un tour dans les environs. J'ignore ce que répondit le lieutenant, mais une minute plus tard tous les Rwandais, à l'exception du plus jeune, étaient à bord. Se sentant un peu responsable, Page décida de les accompagner. Ainsi, faute d'espace, je demeurai seul en compagnie d'un jeune militaire rwandais, et ce, dans une région considérée peu sûre. Je dois avouer que je n'étais pas tout à fait à l'aise, mais j'ai senti que mon gardien, qui serrait son arme contre lui, comme si j'étais pour la lui enlever, avait très hâte que ses compagnons reviennent de leur promenade. Ils revinrent bientôt sains et saufs et des plus reconnaissants à ce pilote qui avait pris sur lui de leur faire voir durant quelques minutes leur pays du haut des airs. Quant à moi, j'ai eu l'impression d'assister ce jour-là à une séance très réussie de relations publiques.

* * *

Durant le vol de retour à Kigali, je n'ai pu faire autrement que de me poser des questions sur ce que je venais de voir. Je me suis interrogé entre autres sur l'importance du rôle joué par les émotions, en particulier la haine et la peur, au cours des massacres qui ont déchiré le Rwanda tout entier. Je repensais aux reportages de la Radio libre des Mille Collines que j'avais lus et qui incitaient ses auditeurs à la haine et les poussaient à se débarrasser des ennemis de la République, y compris le général Dallaire. Pouvait-on vraiment affirmer que les initiateurs des massacres visaient en premier lieu l'extermination des Tutsis en tant que tels ? La scène que je venais d'observer cadrait plus ou moins bien avec la thèse de ceux qui affirmaient que ces massacres avaient été planifiés dans l'intention de détruire en entier ou en partie ce groupe ethnique et qu'il fallait en conséquence parler de génocide. Il me semblait que seules la haine et la peur pouvaient expliquer la folie furieuse et collective qui s'était emparée des assaillants, du moins à Nyarubuye que je venais de visiter. Par contre, je ne pouvais oublier que le général Dallaire m'avait confié un jour qu'il avait décidé d'aller visiter un des camps où de jeunes recrues se préparaient à se joindre aux FAR ou aux Interahamwes. Leur comportement n'avait rien de rassurant, mais n'était pas pour autant purement émotif. Il paraissait y avoir derrière cela une intention quelconque. Laquelle ? On ne pouvait pas davantage ignorer le fait que cette paroisse catholique avait été attaquée seulement vingt-quatre heures après le début des massacres à Kigali et par des individus qui semblaient relativement bien organisés. On ne tue pas 4 000 personnes en deux jours sans une certaine préparation. On raconte d'ailleurs que des listes de personnes à supprimer avaient été établies pour Nyarubuye avant même le déclenchement des massacres et qu'il en fut de même ailleurs dans le pays. Enfin, on ne saurait pas non plus oublier qu'un informateur sûr et quelques autres avaient prévenu le général, et à travers lui l'ONU, que d'importantes caches d'armes avaient été disséminées dans plusieurs villes et villages en vue de massacres à venir.

À mon retour à Trafipro, je continuai mes réflexions et écrivis ce soir-là qu'il serait également inadmissible de juger des massacres perpétrés au Rwanda à partir de quelques cas isolés, aussi impressionnants fussent-ils. On sait que les massacres se généralisèrent assez rapidement, tout au moins dans le sud et l'ouest du pays, entre autres à Cyangugu, à Kibungo et à Butare. Somme toute, il semble difficile de nier qu'il y eut un plan visant à massacrer les Tutsis et un certain nombre de leurs sympathisants considérés comme des ennemis de la République. Il faut également rappeler que le rapporteur spécial de la Commission des droits de l'homme des Nations Unies a affirmé, consécutivement à une enquête, qu'il s'agissait bien là d'un génocide et que ce terme fut par la suite utilisé par le secrétaire général de l'ONU. Ce qui, selon Gérard Prunier, donne une solide base légale internationale à l'existence même du génocide. Quoi qu'il en soit, il m'apparaît comme impossible d'exclure ici les émotions au seul profit de la raison.

J'ai parlé précédemment de haine et de peur. D'un autre point de vue, il ne serait sans doute pas superflu de parler aussi de courage et de générosité. Je pense en particulier à la conduite du pasteur de la paroisse de Nyarubuye et aussi à toutes les personnes qui, pour sauver un proche ou un voisin, ont été la cible des Interahamwes.

L'exécution des massacres

René Degni-Segui
Rapporteur de la Commission des droits de l'homme
de l'ONU

Les tueries sont exécutées dans des conditions atroces, affreusement cruelles. Elles sont en effet précédées d'actes de torture ou d'autres traitements cruels, inhumains ou dégradants. D'une manière générale, les victimes sont attaquées à coups de machettes, de haches, de gourdins, de massues, de bâtons ou de barres de fer. Les bourreaux vont parfois jusqu'à couper successivement les doigts, la main, les bras, les jambes avant de trancher la tête ou de fendre le crâne. Des témoins rapportent qu'il n'est pas rare que les victimes supplient leurs bourreaux ou leur proposent de l'argent pour être exécutées plutôt par balles qu'à la machette.

CHAPITRE VII

VOYAGE À GISENYI ET AU PAYS DES GORILLES

Je me proposais, le dimanche 28 mai, de me rendre au centre de Kigali pour visiter l'hôtel des Mille Collines, qui avait servi de refuge à de nombreux Rwandais durant les massacres de l'année précédente, lorsqu'on m'invita à me joindre à une opération de récupération dans la banlieue de Gisenyi, à l'extrémité nord-ouest du pays. Connaissant un peu cette région, je n'hésitai pas un seul instant à accepter cette invitation. J'avais l'intention de m'y rendre de toute façon. Ayant passablement lu sur le Rwanda, je n'ignorais pas l'importance de cette région dans l'histoire ancienne et contemporaine du pays. Je savais que Gisenyi avait été à l'origine un poste militaire fondé par les Allemands et, plus tard, la *riviera* des Belges qui y avaient construit des villas et des hôtels le long du grand lac Kivu. J'imaginais aussi que, pour nous y rendre, nous allions normalement passer par Ruhengeri et longer le parc des Birunga avec ses nombreux volcans et ses gorilles de montagne. Je me souvenais également que Juvénal Habyarimana, le président assassiné le 6 avril de l'année précédente, avait vu le jour dans la préfecture de Gisenyi, et que des troupes du Front patriotique rwandais (FPR), commandées par Paul Kagame, s'étaient emparées en 1991 de Ruhengeri et avaient réussi à libérer les prisonniers qui se trouvaient dans l'établissement à sécurité maximale de l'endroit. Par représailles, les Tutsis vivant sur les pentes des volcans voisins furent exterminés. Bien plus, deux ans plus tard, soit le 8 février 1993, le FPR déclencha une seconde offensive dans cette région, au cours de laquelle périrent quelque 300 Tutsis. Bref, pour comprendre ce qui se passa dans le centre et le sud du Rwanda, il ne me semblait pas superflu de mettre également les pieds dans le nord.

C'est ainsi qu'à huit heures précises, je quitte ce jour-là Trafipro à bord du plus gros véhicule « UN » du Rwanda, une dépanneuse à huit vitesses de fabrication autrichienne, connue de

tout le monde sous l'appellation *wrecker*. Deux caporaux fran-
cophones sont responsables de l'opération. Le plus âgé vient du
Nouveau-Brunswick, l'autre du Manitoba. En plus de leur salaire,
ils reçoivent une allocation. Celui qui est marié reçoit 1 350 $,
l'autre 1 250 $. Ma première observation en chemin est que les
collines sont plutôt des montagnes au nord de Kigali et qu'il y a
peu de véhicules sur les routes. En revanche, on voit beaucoup de
bicyclettes qui, dans nombre de cas, semblent remonter à des
temps immémoriaux, et aussi beaucoup de piétons. Les hommes,
des paysans et des éleveurs, sont propres et portent généralement
une chemise blanche. Les femmes sont également vêtues simplement, mais plusieurs d'entre elles portent de longues robes bleues,
rouges ou jaunes. Transportant de lourds fagots, des bidons et des
sacs de légumes, elles se rendent au marché situé le long de la
route. Elles sont habituellement accompagnées de leurs enfants.
Nous voyant passer, ces derniers, tout comme dans le sud du pays,
tendent la main et crient « Biscuits, biscuits ». Le caporal Falardeau,
qui n'en est pas à son premier voyage au Rwanda, remarque que :
« Ça va pour un certain temps, mais à la longue ça fait mal de voir
ça. » Son compagnon l'approuve : « C'est dur sur le moral. »
Pourtant, l'un et l'autre sont de solides gaillards qui ne semblent
nullement impressionnables. Plus loin, j'aperçois un petit cours
d'eau : pas de baigneurs, mais plusieurs bicyclettes et quelques
misérables voitures. « C'est leur *car wash* », précise mon voisin.
Encore plus loin, un tas de branches le long de la route nous
prévient de la proximité d'un obstacle, tout comme le fait la présence
de triangles au Québec. On rencontre aussi çà et là des éboulis,
mais cette fois c'est un minibus débordant de passagers qui est
immobilisé. Je compte au moins 20 passagers, alors que chez nous
un véhicule semblable ne transporte pas plus de 8 personnes. Il
nous faut aussi nous arrêter occasionnellement à des barrages
routiers. Nous devons alors descendre de notre *wrecker* et nous
identifier. Aucun signe d'amitié de la part des militaires qui s'y
trouvent, mais ils sont polis. J'avais lu au Canada, avant mon départ,
que les Hutus avaient mangé les vaches des Tutsis durant les massacres. Je remarque pourtant plusieurs troupeaux de vaches ainsi

Un marché le long de la route reliant Kigali à Ruhengeri
(Photo : J. Castonguay)

que de petits troupeaux de chèvres et de moutons. Mes compagnons m'expliquent que tous ces animaux sont arrivés récemment au Rwanda avec le Front patriotique rwandais. La culture a aussi repris ici et là. Les flancs des montagnes sont cultivés comme en Italie, en France et en Allemagne, le plus souvent par des femmes utilisant des semences provenant d'organisations internationales. Somme toute, la première partie du voyage ne manque pas d'intérêt.

La première ville importante rencontrée est Ruhengeri. Il faut de nouveau nous identifier et inscrire nos noms sur des formulaires du gouvernement. Les militaires qui sont à la recherche des coupables des massacres ne semblent pas particulièrement tendres pour les Hutus. Les véhicules de ces derniers sont fouillés de fond en comble. Peu après ce barrage, nous devons nous arrêter pour laisser passer un cortège funèbre. Pas de véhicule, pas de cercueil, une simple civière recouverte d'un drap. Une quinzaine de personnes suivent, l'air éploré. Je ne puis m'empêcher de me demander ce que pouvaient être les enterrements au Rwanda en 1994.

* * *

Près de Mukingo, à quelques kilomètres à l'est de Ruhengeri, nous rencontrâmes les premiers Casques bleus en service dans la région. Ils venaient de la Tunisie. Quelques mois plus tôt, plusieurs Canadiens se trouvaient également là. Appartenant au Régiment des transmissions de la 1re Division du Canada, ils étaient venus au Rwanda pour y rétablir les communications. Encore quelques kilomètres et nous nous retrouvâmes cette fois à deux pas du quartier général du bataillon de la Tunisie (Tunbatt) au Rwanda. Pendant que mes compagnons cassaient la croûte, je fus reçu par le commandant de l'unité, le lieutenant-colonel Ayed. Il me fit visiter son établissement avec plaisir et me présenta quelques officiers. Cette rencontre inopinée me rappela que les premiers Casques bleus arrivés à Kigali en 1993 venaient aussi de la Tunisie. Ils étaient avec le général Dallaire lorsque la MINUAR prit possession de la Zone démilitarisée au nord du pays, au mois de

L'auteur en compagnie de Casques bleus tunisiens qui veillent à la sécurité des réfugiés de la région de Ruhengeri.
(Photo : J. Castonguay)

novembre. Ce sont également des Tunisiens qui accompagnèrent le général lorsqu'il fut appelé à la fin du même mois à enquêter sur la mort de civils hutus dans le parc des Birunga, plus précisément dans la région du volcan Karisimbi.

Le bataillon ayant adopté comme mascotte un petit singe qui ne cessait de gambader et de s'ébattre autour des véhicules et des tentes, il était difficile d'oublier que nous nous trouvions dans le parc national des Volcans où vivaient les gorilles de montagne et où la célèbre Dian Fossey avait passé plusieurs années de sa vie. On connaît cet extraordinaire personnage de légende. Née à San Francisco en 1932, elle étudia au San Jose State College et obtint un diplôme en ergothérapie. Après avoir travaillé dans un hôpital pour enfants, elle découvrit l'Afrique en 1963 et séjourna subséquemment au Zimbabwe, au Kenya et au Congo. Fascinée par les gorilles de montagne, elle s'installa au Rwanda en 1967 et entreprit l'étude de leur comportement dans le parc des Birunga, durant une vingtaine d'années. Ne se contentant pas de la simple observation de ces grands singes, elle partagea leur vie de plusieurs façons. On raconte qu'elle marchait à l'occasion à quatre pattes, faisait semblant de manger des feuilles et se reposait volontiers en leur compagnie. On a aussi écrit qu'elle les protégeait contre les braconniers et que c'est elle qui eut le mérite de mettre sur pied les premières patrouilles de gardiens de ce célèbre primate. On considère aujourd'hui que les études qu'elle produisit servirent à dissiper plusieurs mythes relatifs à la nature violente et agressive des singes de montagne. En 1974, l'Université de Cambridge reconnut son apport en lui décernant un doctorat en zoologie. Le 17 décembre 1985, on la trouva morte dans son lit, sa résidence saccagée. On attribua sa mort à un violent coup de machette qui lui défonça le crâne. On croit qu'elle fut assassinée par un braconnier ou peut-être par un individu qui voulait s'emparer de ses notes et de ses documents. Le Centre de recherche sur les gorilles qu'elle fonda à Karisoke lui survécut toutefois durant au moins huit ans. En 1993, alors que la tension ne cessait de grandir entre les Hutus et les Tutsis, il fut à son tour saccagé et son personnel

Au nord du Rwanda, à l'est de Ruhengeri, le parc national des Volcans
abrite des gorilles de montagne.
(Photo : J. Castonguay)

fut mis en fuite. Aujourd'hui, on ne se rend pas dans le parc des Birunga sans évoquer son souvenir.

Nous avons quitté les Tunisiens et leur quartier général un peu après midi, mais non sans avoir pris une bouchée en leur compagnie. Nous étions attendus à l'entrée de Gisenyi par des membres du Haut Commissariat des Nations Unies aux droits de l'homme (connu sous le nom de Human Rights). Ils avaient perdu momentanément un véhicule au cours d'une pluie diluvienne. En cours de route, nous avons vu ici et là des maisons abandonnées. C'était plutôt surprenant, compte tenu du nombre élevé de personnes rencontrées depuis notre départ de Kigali. On m'expliqua que ces maisons appartenaient à des Rwandais réfugiés au Zaïre et qu'elles seraient bientôt occupées de nouveau. On raconte toutefois qu'un certain nombre de ces réfugiés sont déjà de retour et qu'ils ont été accueillis chaleureusement par des voisins, mais que beaucoup d'autres ont au contraire été battus et ont dû trouver refuge ailleurs. C'est également peu après avoir quitté les Tunisiens que nous sommes passés à proximité du camp où l'Armée patriotique rwandaise entraînait ses recrues et veillait à enregistrer les réfugiés arrivant de la région de Goma, au Zaïre. La plupart des soldats étaient armés et leurs véhicules étaient équipés de mitrailleuses et de canons antiaériens. Il faut dire que mes compagnons ne voyageaient pas non plus sans armes, même s'ils le faisaient discrètement. Je remarquai aussi qu'aux alentours de Gisenyi se trouvaient quelques camps de personnes déplacées logeant dans les traditionnelles tentes bleues en plastique du Haut Commissariat des Nations Unies pour les réfugiés.

Le véhicule recherché par mes compagnons était une camionnette Toyota. Des Allemands du Haut Commissariat, qui parlaient français, l'avaient localisée dans un précipice. Il fallait l'en extraire délicatement car elle menaçait de glisser beaucoup plus profondément. Huit Casques bleus tunisiens appelés à la rescousse montaient la garde à ses côtés, comme s'il s'était agi d'un objet très précieux. Ils estimaient, me dit-on, que s'il en avait été autrement, le véhicule aurait été rapidement réduit en pièces... La manœuvre de récupération fut longue et compliquée. Le gros câble de la dépanneuse s'avéra défectueux, puis le petit, un peu trop court. Il fallut donc se résigner à utiliser des chaînes, ce pour quoi la remorqueuse n'était pas faite. Presque tous les hommes présents furent appelés à mettre la main à la pâte. Enfin, au moment même où la camionnette commençait à bouger, arrivèrent sur les lieux deux véhicules de l'Armée patriotique rwandaise armés de mitrailleuses. Leurs occupants, qui n'entendaient pas discuter, demandèrent qu'on arrête les travaux et que l'équipement se trouvant sur la chaussée soit retiré. Ce qu'il fallut faire. Le vice-président du Rwanda et ministre de la Défense, Paul Kagame, en visite à Gisenyi, était sur le point de passer sur la route où nous étions réunis. L'attente, car il y eut une attente, dura une bonne heure. J'appris durant ce temps de la bouche des Allemands que les occupants de la camionnette avaient tous été blessés, qu'ils étaient jeunes et sans expérience et que cet accident n'était malheureusement pas une première. Au moment où l'on commençait à désespérer de voir le dignitaire apparaître, des sirènes au son strident très désagréable nous annoncèrent son arrivée dans une luxueuse Mercedes, précédée et suivie par deux camionnettes armées d'un petit canon et de mitrailleuses. Désirant voir ce qui se passait à l'endroit où nous nous trouvions, le ministre fit ralentir sa voiture et jeta un coup d'œil dans notre direction. Je le saluai et il répondit à mon salut, et il disparut aussi vite qu'il était arrivé. N'ayant pas oublié que j'avais un rendez-vous avec lui avant de rentrer au Canada, je n'étais pas fâché de l'avoir ainsi rencontré sur le terrain.

Tout étant fin prêt pour que l'on extirpe du ravin la voiture du Haut Commissariat, aucun autre ennui ne survint par la suite et l'opération prit fin à 17 h 30, avec notre retour à Kigali. Pour moi, cette expédition avait été également bénéfique. Il est vrai que ma contribution au sauvetage du véhicule avait été plus que modeste, mais j'étais heureux pour plusieurs raisons d'avoir fait le voyage. J'avais été grandement impressionné par la découverte du nord-ouest du pays avec ses merveilles, entre autres, le parc des Birunga, et, dans un autre ordre d'idées, par la pauvreté avec laquelle de nombreux paysans devaient composer. Du point de vue professionnel, il m'avait été donné de voir à l'œuvre des Casques bleus hors de leurs quartiers, de même qu'un nombre relativement élevé de membres de l'Armée patriotique rwandaise. J'avais aussi apprécié le fait de voir les lieux où les forces du FPR affrontèrent pour la première fois les Forces armées rwandaises, en 1990, et durant les années qui suivirent.

Chapitre VIII

La Force aérienne du Canada sauve la mission de l'ONU

Le Canada s'est borné en 1993 à mettre à la disposition de l'ONU pour le Rwanda un brigadier général et un major. On l'a dit. Il a fait cependant bien davantage lorsque l'ouragan que l'on sait s'abattit sur le pays. Trois officiers supérieurs furent alors mutés de la Somalie à Kigali, soit les majors Jean-Guy Plante et Michel Bussières, et le lieutenant commandant Robert Read. Ils furent suivis quelques semaines plus tard par le lieutenant-colonel Austdal, les majors Lancaster, MacNeil, Racine et McComber, et les capitaines Demers, St-Denis, Leblanc et Turgeon. En raison du retrait précipité du contingent belge, on estime que ces officiers sortirent alors la mission de l'enlisement qui la menaçait. Il n'y eut toutefois pas à cette époque de sous-officiers et de soldats canadiens au sein de la MINUAR.

C'est un fait bien connu que les missions de l'ONU dans le monde regroupent normalement des éléments des forces terrestres de plusieurs pays à la fois. Il en fut également ainsi au Rwanda. On a tendance à croire que la contribution des forces aériennes et maritimes à ces missions est plutôt négligeable. Ce ne fut pourtant pas le cas au Rwanda, où la présence de la Force aérienne du Canada fut rien de moins qu'essentielle, et ce avant le mois d'avril 1994.

Au cours de mes 17 ans de service dans l'Aviation royale du Canada, je me suis rendu compte à quel point les forces terrestres dépendent de nos jours du transport aérien, que ce soit au pays où à l'étranger. À Edmonton, par exemple, où j'ai séjourné au début des années 1960, les C-130 Hercules approvisionnaient des militaires qui faisaient le guet à Alert, sur la calotte polaire, de même qu'à Resolute Bay, sur la côte sud de l'île Cornwallis, tout en appuyant les bases canadiennes de l'OTAN en Europe et des opérations de maintien de la paix de l'ONU. La mission des Nations Unies au Rwanda ne fit pas exception à la règle. La présence des

Hercules canadiens lui permit de survivre durant les jours les plus sombres de son histoire.

La situation ne cessant de se détériorer au Rwanda au cours du premier trimestre de 1994, le général Dallaire chercha à renforcer sa capacité d'intervention en organisant une force de réaction rapide. Or, pour en arriver là, il avait besoin de véhicules blindés et d'hélicoptères, ce qu'il demanda au Département des opérations de maintien de la paix, à New York. Il lui fallut cependant attendre et attendre avant de recevoir une réponse à sa requête. Les véhicules blindés furent les premiers à lui parvenir. Mais au lieu d'en recevoir 20, comme il l'avait demandé, la MINUAR en reçut 8. On raconte qu'ils ne comportaient ni pièces de rechange, ni manuels techniques. Quant aux hélicoptères demandés, ils tardèrent encore plus à arriver. Dans ce cas, leur nombre passa de huit à deux. C'est ainsi que, lorsque débutèrent les grands massacres du mois d'avril, la force de réaction rapide projetée n'était pas opérationnelle.

Si l'arrivée des hélicoptères se fit attendre, il n'en fut toutefois pas de même en ce qui a trait à la direction du personnel chargé de superviser la mise en marche de ces appareils. Dès le 5 avril, un Canadien à l'emploi de l'ONU, le brigadier général Butch Waldrum assumait cette responsabilité. À la demande du général Dallaire, il voulut bien prendre aussi la direction des mouvements aériens à l'aéroport de Kigali. Le Canada ne se contenta pas, par ailleurs, de récupérer ses ressortissants, contrairement à ce que firent les trois pays européens. Dans le cadre de l'opération Scotch, il déploya à Nairobi, au Kenya, 45 aviateurs et 2 C-130 Hercules qui évacuèrent de nombreux expatriés étrangers et des parachutistes belges. En raison du départ des organisations non gouvernementales, des civils de l'ONU et de la plupart des étrangers œuvrant au Rwanda, et de l'afflux de personnes déplacées, la mission de l'ONU dut faire face à une situation quasiment désespérée. Ses ressources déjà limitées s'épuisèrent rapidement. Elle devait non seulement nourrir son personnel militaire et maintenir ses véhicules en marche, mais aussi répondre aux multiples demandes d'eau, de nourriture et de médicaments qui lui étaient faites, en particulier celles qui venaient des Rwandais nombreux qui avaient trouvé refuge dans le stade Amahoro. Heureusement pour elle, les appareils Hercules du Transport Command et leur personnel de soutien en poste au Kenya répondirent à l'appel en établissant un pont aérien entre Nairobi et Kigali, au risque d'être touchés ou abattus par les tirs occasionnels des combattants installés en périphérie de l'aéroport. Pour les aviateurs, l'aide humanitaire devint ainsi une priorité incontournable. La façon dont ils s'en acquittèrent permit à la MINUAR de même qu'à ses protégés de survivre.

L'aviation militaire canadienne n'appuya pas la MINUAR que durant la guerre civile et les massacres du printemps 1994. De la fin de la guerre au 25 janvier 1996, date du retour au pays du dernier contingent canadien (95e Groupe de soutien mixte de la mission), ses appareils Boeing 707 et Polaris A-310 assurèrent la liaison entre Trenton, en Ontario, et Kigali, et veillèrent ainsi à son ravitaillement.

Mais la contribution des aviateurs canadiens à la résolution du conflit rwandais ne fut pas seulement une affaire de ravitaillement. La guerre terminée, ils remirent l'aérogare internationale de la capitale en état de fonctionner à peu près normalement en tout temps. À cette fin, cinq officiers et plusieurs sous-officiers et soldats furent mutés temporairement à Kigali, à la fin du mois de juillet et au début du mois d'août 1994. De cette manière, l'électricité fut rétablie dans l'aérogare et les bâtiments adjacents, les systèmes de communication et de signalisation furent réparés, ainsi que la tour de contrôle. Au moment de retourner au Canada, ils laissèrent derrière eux un aéroport pouvant répondre aux besoins d'environ 150 atterrissages et décollages par jour. L'aviation américaine voulut aussi faire sa part dans ce domaine en organisant un service des incendies et un service de déchargement et de chargement des avions, et en aménageant un stationnement pour les véhicules.

À cette liste forcément incomplète il faut ajouter le travail accompli par la 2e Unité des mouvements aériens établie à Trenton. Durant six semaines, sa section mobile travailla d'arrache-pied à charger les appareils Iliouchine 76 et Antonov 124, de fabrication russe, ainsi que les Boeing 747-200 loués par les Nations Unies pour ravitailler les camps de réfugiés de la région de Goma, au Zaïre. L'opération Lance organisée par les Forces canadiennes, le 21 juin 1994, fut aussi soutenue par ce pont aérien. Regroupant environ 450 militaires, dont 350 spécialistes des communications, cette opération avait pour mission d'établir et d'opérer un réseau de communications reliant toutes les unités et sous-unités de la MINUAR au Rwanda. L'opération Passage, qui amena dans le nord du pays la 2e Ambulance de campagne, une unité autonome comptant 247 personnes, fut aussi ravitaillée par les appareils en partance de Trenton. Déployée à Mareru, à l'est de Goma, cette unité médicale vint quotidiennement au secours de quelque 500 patients, durant une période longue de trois mois.

Autant les expéditions lointaines dépendaient au Moyen Âge du transport maritime, autant les déplacements de troupes dépendent de nos jours du transport aérien. Ainsi en fut-il pour la MINUAR.

Chapitre X

Après la guerre, des changements au sommet

Le 18 août 1994, l'hôtel-restaurant Chez Lando, à Kigali, fut l'hôte d'une réception peu commune. Bien qu'il eût été endommagé et fermé durant la guerre et que ses propriétaires, Landoald Ndasingwa et son épouse Helen Pinsky, une Québécoise, eussent été tués, les compagnons et amis du général Dallaire voulurent se réunir à cet endroit pour lui dire adieu et aussi souhaiter la bienvenue à son successeur. Il fallut plusieurs heures de nettoyage et beaucoup d'imagination pour trouver la nourriture nécessaire et un peu de viande, mais à l'heure prévue tout était en place. Au nombre des invités se trouvaient entre autres 4 généraux, 10 colonels et lieutenants-colonels et 10 majors et capitaines. La guerre étant officiellement terminée depuis un mois, la situation dans le pays n'était plus la même qu'auparavant et se prêtait en conséquence à des changements. Le premier fonctionnaire à quitter le Rwanda fut le représentant spécial du secrétaire général, Jacques Roger Booh Booh, un ancien ministre des Affaires étrangères du Cameroun. Complètement dépassé par les événements, ce dernier fut remplacé le 1er juillet 1994 par Shaharyar Khan, un diplomate de carrière vivant au Pakistan. Un mois et demi plus tard, ce fut au tour du général Dallaire de céder son poste. Il est certain qu'il ne le fit pas de gaieté de cœur, mais totalement épuisé et ne pouvant plus jouer son rôle de leader, il avait demandé au secrétaire général de l'ONU de passer son commandement à son adjoint, le général Henry Anyidoho. Après de longues discussions, le secrétaire général accepta, mais voulut que son successeur demeure un Canadien. En l'occurrence, le Canada et l'ONU nommèrent le major général Guy Tousignant, un spécialiste de la logistique qui avait commandé le Collège de la Défense nationale du Canada, une institution de grand prestige, aujourd'hui fermée. La formation de ce dernier en faisait l'homme tout désigné pour répondre aux besoins de l'après-guerre. On se souviendra que, peu avant ce changement, soit le 17 mai, la mission elle-même avait subi des changements substantiels. Le Conseil de sécurité avait décidé de modifier son mandat pour y inclure la responsabilité de veiller à la sécurité et à la protection des personnes déplacées, des réfugiés et des civils, et celle d'assurer la sécurité et la distribution des secours et le déroulement des opérations humanitaires. De concert avec ce nouveau mandat, l'effectif autorisé de la MINUAR, qui devint la MINUAR 2, fut accru très lentement jusqu'à concurrence de 5 500 militaires, soit du nombre de Casques bleus que le général Dallaire avait demandé dès avril pour arrêter les massacres.

J'ai rencontré ce dernier plusieurs fois en 1994 et 1995 pour préparer mon rapport historique sur les missions des Nations Unies au Rwanda. J'en ai dit un mot précédemment et j'y reviendrai plus loin. J'ai aussi eu l'occasion de m'entretenir longuement avec le général Tousignant, d'abord au Rwanda, puis à Ottawa. Il m'a appris beaucoup de choses relativement à la période de l'après-guerre. Comme il était très occupé le jour à Kigali, il m'invitait à aller le rencontrer le soir à sa résidence. En raison du couvre-feu, cela nécessitait quelques précautions et arrangements qu'il était seul à pouvoir prendre. On me conduisait donc chez lui à la tombée du jour, et je revenais à mes quartiers durant la nuit à bord de son propre véhicule et en compagnie de ses gardes du corps. Il faut dire qu'à cette époque-là l'électricité était inexistante dans les rues de la ville, ce qui requérait des précautions additionnelles. Pour les Tunisiens qui montaient la garde à l'entrée de Trafipro, l'arrivée du véhicule du général était synonyme de l'arrivée du général lui-même. Aussi devais-je m'identifier sans tarder pour ne pas éveiller chez eux une inutile méfiance.

Rappelons qu'en 1994, 11 religieuses de la Communauté du Bon Pasteur connurent une fin tragique en se rendant à Kabgayi, où elles espéraient être en sécurité. À la recherche d'un établissement pour loger les renforts que le Canada avait accepté de lui envoyer, le général Dallaire se rendit au couvent où elles avaient habité, pour voir s'il pourrait éventuellement répondre à ce besoin. À son arrivée sur les lieux il trouva une bande de pilleurs. Sortant

Le major général Guy Tousignant, commandant de la mission de l'ONU au Rwanda du mois d'août 1994 au mois de mars 1996, harangue des Rwandais désireux de travailler pour la mission.
(Photo : J. Castonguay)

son pistolet, il les en chassa et demanda au commandant de l'unité canadienne de transmissions arrivée depuis peu au Rwanda d'en prendre soin et de communiquer avec la supérieure de la communauté qui se trouvait à Québec pour lui dire ce qu'il était advenue de la résidence de ses sœurs. C'est ainsi, qu'avec l'accord de la supérieure, la maison fut complètement remise en ordre et devint temporairement un lieu de repos pour les Casques bleus canadiens en service au Rwanda. Peu après, elle fut toutefois louée par le général Tousignant qui en fit sa propre résidence.

Lorsque le général m'a invité à venir le voir, je l'ai donc trouvé dans ce qui avait été la maison des religieuses du Bon Pasteur, à Kigali. Ayant perdu sa vocation initiale, elle était entourée de barbelés et de sacs de sable et son entrée était protégée par une mitrailleuse. L'intérieur était cependant plus accueillant. Il comprenait un grand réfectoire, une cuisine, plusieurs chambres, une chapelle et même un gymnase que le général avait lui-même fait aménager. En raison de ses responsabilités, le nouveau commandant de la MINUAR avait également fait construire à l'extérieur un héliport, pour répondre aux appels urgents qui lui étaient faits, et même un terrain de tennis, pour demeurer lui-même en forme !

De ma première rencontre avec le général Tousignant, j'ai retenu qu'il avait contribué à remédier à la misère qui suivit la guerre entre les Forces armées rwandaises et la force du Front patriotique rwandais, d'une part, et les massacres des Tutsis et de leurs sympathisants, d'autre part. Il faut ajouter à cela le retrait précipité du contingent belge et le départ du contingent du Bangladesh. L'effectif de la MINUAR, qui était de 2 508 Casques bleus au mois de mars, avait chuté à 450 un mois plus tard. Heureusement, le général Dallaire, qui n'avait pas été gâté par le Canada en 1993, avait finalement obtenu à la fin de juillet de l'année suivante une aide substantielle du Quartier général et Régiment des transmissions de la 1re Division du Canada. Comptant 350 hommes, cette unité réussit durant l'été à rétablir rapidement les communications entre les principaux centres du pays. Puis, le 29 du même mois, arriva cette fois au Rwanda un contingent de 37 militaires du 3e Groupe de soutien du Canada, 27 membres d'une section médicale canadienne et 30 militaires du 4e Régiment d'appui du génie, également du Canada. Le général Tousignant put donc compter sur ce personnel à son arrivée à Kigali pour rétablir ou améliorer plusieurs services alors considérés comme déficients et pourtant essentiels.

Assis à une table de réfectoire, dans une pièce à ciel ouvert où abondaient les insectes porteurs de la malaria, le général Tousignant me raconta qu'à son arrivée, au mois d'août, il avait constaté que la force de la mission faisait face à un problème de support logistique. L'approvisionnement en eau, en munitions et en diesel faisait défaut. Ses hommes devaient manger des rations qui avaient connu la chaleur de la Somalie. Bien plus, on ne pouvait rien acheter. Le pays avait été littéralement vidé par la guerre.

L'importance du nouveau mandat de la MINUAR, combiné à cette situation difficile, rendit nécessaire un effort additionnel du point de vue logistique. C'est ce à quoi s'appliqua le général dès son arrivée au Rwanda. Ainsi, m'expliqua-t-il, au retour au Canada du Régiment des transmissions, arriva à Kigali, le 26 janvier 1995, une unité levée spécialement pour assurer le soutien logistique de la mission. Connue sous le nom de 95e Groupe de soutien logistique, cette unité comptait 85 officiers, sous-officiers et soldats qualifiés dans les domaines du transport, de l'approvisionnement et des communications. Conscient que cette unité aurait besoin d'espace et de locaux appropriés, la MINUAR loua à son intention le complexe Trafipro, dont il fut question précédemment. Ayant appartenu à une entreprise spécialisée dans le domaine de l'exportation, il comportait des hangars, des entrepôts et des bureaux suffisamment nombreux pour répondre amplement aux besoins de cette unité. Il fallut faire quelques ajustements par la suite, mais rien de majeur. Aux yeux du général, il importait de réaliser l'intégration des services assurés aux civils par l'ONU à ceux de la MINUAR. Cette tâche se fit sans trop de peine en ce qui a trait à l'approvisionnement, mais elle rencontra beaucoup de résistance sur le plan du transport, en particulier auprès de l'administration civile. Quoi qu'il en soit, les ressources matérielles et financières étant dès lors disponibles, le système mis en place fonctionna généralement bien et répondit à la plupart des besoins de la force, dont l'effectif s'élevait au mois de janvier 1995 à 6 049 militaires.

Au cours de ma deuxième rencontre avec le général Tousignant, il fut surtout question de la sécurité et de la protection des personnes déplacées, c'est-à-dire celles qui avaient quitté leurs communes et étaient demeurées au Rwanda. En 1995, on en trouvait un peu plus d'un million dans les divers camps du pays. Assis au même endroit que la première fois et encore assailli par les insectes que le général écrasait sans pitié, j'appris ce soir-là que la tâche la plus importante et la plus difficile que la MINUAR 2 fut appelée à accomplir fut sans contredit celle de ramener toutes les personnes déplacées dans les communes d'où elles provenaient. Elle devait le faire non seulement sans utiliser la force, mais en s'assurant la collaboration de l'Armée patriotique rwandaise commandée par Paul Kagame, également vice-président de la République, et des ONG. Le général ne pouvait davantage ignorer, du moins jusqu'au 22 août, la présence des troupes françaises responsables de l'opération Turquoise, laquelle s'étendait à près d'un tiers de la superficie du pays. On retient de cette opération qu'elle contribua à mettre un frein aux massacres, mais sans prévenir la fuite des responsables de ces massacres au Zaïre et ailleurs.

Le départ des troupes françaises du Rwanda aurait dû favoriser le retour des personnes déplacées dans leurs communes respectives, mais peu d'entre elles décidèrent de le faire. Il fallut donc que le gouvernement et la MINUAR assument cette responsabilité. Pour Kagame, il fallait le faire sans tarder et si nécessaire par la force, car cette situation projetait une image défavorable de son gouvernement. Pour le général Tousignant, il importait également de le faire sans délai, mais en encourageant les personnes en cause à prendre cette décision. Pour ce qui est des ONG, il fallait au contraire laisser aux personnes en cause le choix de décider elles-mêmes. La MINUAR mit alors sur pied une opération restreinte, appelée Homeward, qui devait servir de modèle aux opérations subséquentes et encourager les personnes déplacées à retourner aux endroits d'où elles venaient, mais ce ne fut pas un grand succès. On profita toutefois de cette première expérience pour concevoir des opérations plus efficaces, prévoyant des ressources additionnelles à chaque étape. C'est ainsi qu'au mois de décembre eut lieu l'opération Hope destinée à renforcer la sécurité dans les grands camps de Kibeho et de Ndago et, deux semaines plus tard, l'opération Retour qui visait la fermeture des 38 camps encore ouverts dans le pays. La Croix-Rouge, l'Unicef, le Haut Commissariat des Nations Unies pour les réfugiés, Care Canada et Care Australia, de même que quelques autres ONG, apportèrent cette fois leur contribution. On constata que plusieurs camps se vidèrent à cette occasion, mais que toutes les personnes en cause ne rentraient pas chez elles pour autant. Un certain nombre se contentaient simplement de déménager dans un autre camp. Celui de Kibeho en particulier prit alors des dimensions incroyables. Je reviendrai sur ce sujet dans le chapitre qui suit.

* * *

Durant mes recherches au Rwanda, il m'a été donné de passer à côté de la prison de Kigali à quelques reprises. Le spectacle dont je fus témoin à l'heure des repas était effarant. Des centaines de personnes, des sacs ou des récipients à la main, s'entassaient près de l'entrée. J'interrogeai mon guide sur le pourquoi de cet attroupement. Il me raconta qu'au Rwanda quelque 45 000 personnes étaient emprisonnées et qu'elles manquaient de nourriture. Non seulement il leur fallait rester debout faute d'espace, mais leurs parents et amis croyaient nécessaire de leur apporter quelque chose à manger à l'heure des repas. Le général Tousignant, auquel l'ONU avait confié la responsabilité de protéger les civils, se vit aussi contraint de discuter du sort de ces prisonniers avec Paul Kagame. Il semblerait que ce fut là une cause qui demeura longtemps presque sans espoir.

Le général me parla également de la crainte que lui inspirait la malaria. Depuis son arrivée au Rwanda, six membres africains de son personnel avaient été emportés par cette fièvre mortelle. Il s'attarda aussi sur le sort réservé aux orphelins. À côté de sa résidence, dans un des bâtiments appartenant aux sœurs du Bon Pasteur, deux sous-officiers de sa force, en collaboration avec Care Australia, avaient mis sur pied un modeste orphelinat abritant une centaine d'enfants. Le général leur fournissait de l'eau et de l'électricité. J'ai été reçu par les responsables de cet établissement qui m'ont paru faire un excellent travail. Les enfants réunis ont exécuté à cette occasion ce qu'ils appelaient la « danse des vaches » et la « danse des singes », quelque chose dont je conserverai longtemps le souvenir. Quelques-uns d'entre eux m'assimilaient aux sous-officiers Lanteigne et Lebrun qui leur consacraient tout leur temps libre, et crurent que j'allais être un autre *papa muzungu* (papa blanc).

Le nombre d'enfants qui avaient perdu leurs parents durant les massacres ayant été très élevé, la situation était encore pénible à voir de ce point de vue en 1995, mais elle n'était pas pour autant désespérée. Pour le général Tousignant, les Rwandais projetaient, malgré leur malheur, l'image d'un peuple courageux qui allait s'en sortir. Il voyait en eux des êtres non seulement bien mis, mais intelligents, débrouillards et s'alimentant de fruits et de légumes comme davantage tout. Le temps était venu de parler de reconstruction et de négociation, la seule arme acceptable dans les circonstances.

Chapitre X

Kibeho : un rendez-vous avec la mort

La consigne à Trafipro, où se trouvait au Rwanda le contingent de Casques bleus canadiens en 1995, était de boire beaucoup d'eau, question d'éviter la déshydratation. Ainsi, la nuit venue, les corridors menant aux toilettes étaient rarement déserts. On n'y allait pas par caprice, d'autant plus que les moustiques réputés porteurs de la malaria étaient particulièrement agressifs et nombreux après le coucher du soleil. Malgré cela, le lever avait lieu tôt pour tout le monde. Ce fut particulièrement vrai pour moi et trois membres du contingent, le 31 mai. À la demande du général Tousignant, le colonel Powell avait organisé à mon intention une visite à Kibeho, qui vivait alors la pire tragédie que connut le pays après la fin officielle de la guerre.

Après l'arrivée au Rwanda des troupes françaises et le début de l'opération Turquoise, une paix relative régna dans la zone sud-ouest du pays. La situation se détériora toutefois en 1995 lorsque le gouvernement, appuyé par la MINUAR, chercha de différentes façons à convaincre les personnes déplacées de regagner leur foyer. Pour diverses raisons, plusieurs d'entre elles tentèrent d'éviter de le faire en changeant simplement de camp. C'est ainsi que la population de Kibeho, qui était de 75 000 habitants, passa à ce moment-là à quelque 150 000 habitants. Devant cet imprévu, le vice-président Paul Kagame, qui était aussi le chef de l'Armée patriotique rwandaise (APR), décida unilatéralement de prendre des mesures musclées pour fermer ce camp. Cela se solda par la mort de très nombreuses personnes déplacées.

Au mois de mai 1995, il y avait encore au Rwanda des régions dites dangereuses. C'était le cas de la région de Kibeho. On estimait qu'un certain nombre de criminels s'y trouvaient toujours ainsi que de simples cambrioleurs. Se rendre à Kibeho signifiait donc se munir de gilets pare-balles, de casques d'acier et d'armes. Comme la route reliant Butare à Kibeho demeurait par ailleurs pitoyable, malgré les efforts déployés précédemment par la MINUAR pour l'améliorer, il fallait de plus s'y rendre en véhicule haut sur roues et à traction 4 x 4. Enfin, on jugeait prudent de n'envoyer là que des petits groupes capables de parer à toute éventualité. Au départ de Kigali, je me retrouvai donc en compagnie du lieutenant (M) Kent Page, qui connaissait bien Kibeho, du capitaine d'aviation Pierre Simard, qui n'avait pas froid aux yeux, et du sergent E.W. Hann, un géant s'il en est.

Le voyage de Kigali à Butare fut sans histoire. La route construite à l'époque de la présence des Belges au Rwanda était en bon état et le trafic n'était pas trop dense. Ici et là de jeunes enfants nous envoyaient la main en criant « Biscuits ». Nous n'avions malheureusement pas de biscuits. Je compris par la suite que les militaires belges, eux, en avaient et ne manquaient pas de générosité. À Butare, je remarquai à l'entrée de la ville l'Université nationale du Rwanda et me promis d'y arrêter au retour. La seconde partie du voyage fut au contraire relativement pénible. La route non asphaltée était par endroits défoncée ou encore couverte d'eau ou boueuse. L'habileté de notre chauffeur aidant, nous arrivâmes quand même à destination sans incident, et ce, un peu avant midi.

À l'approche de Kibeho, deux soldats de l'APR nous firent signe de nous arrêter. Nous nous exécutâmes. Le lieutenant Page qui était au volant leur expliqua que nous nous rendions simplement au complexe des Casques bleus zambiens qui était alors abandonné, et ils nous laissèrent passer. Ils ne nous quittèrent pas des yeux pour autant. Quelques centaines de mètres plus loin, une très forte odeur de cadavres en putréfaction nous prit à la gorge et nous figea sur place. Je n'avais jamais vécu une pareille expérience, même s'il m'était arrivé d'approcher des cadavres en décomposition. Revenus de nos émotions, mais non libérés de l'air infect qui nous pénétrait de toutes parts, nous aperçûmes au loin les premiers bâtiments du camp. C'était désolant : ils semblaient relativement nombreux, mais la plupart endommagés. Parvenus au complexe des Zambiens, on ne voyait plus que des amoncellements de branches et des tas de ferraille, des débris d'habitations rustiques, d'affreuses fosses communes dans lesquelles flottaient des cadavres, et un peu partout sur le sol des déchets humains et autres. Cherchant à me rendre à l'hôpital des Médecins sans frontières, qui avait été témoin de combats atroces entre Interahamwes peu avant notre visite, je me résolus à marcher dans ces amoncellements de détritus et trouvai sans vraiment les chercher de petites et de grandes machettes. Je me proposais d'en rapporter une avec moi, quand apparut soudainement à mes côtés un individu venu de nulle part qui s'identifia comme étant un évêque venu d'Australie pour enquêter sur cette tragédie. N'en pouvant plus, il s'apprêtait à quitter les lieux sans rapporter quoi que ce soit. Je pensai alors à faire de même. Un cimetière est quelque chose de sacré, à l'étranger comme chez nous.

Dans mon livre *Les Casques bleus au Rwanda* publié en 1998, j'ai raconté comment et pourquoi l'intervention des troupes rwandaises à Kibeho est devenue pour plusieurs personnes déplacées un rendez-vous avec la mort. On se souviendra que la MINUAR et les organismes humanitaires avaient réussi dans un premier temps à ramener environ 47 000 personnes dans leurs communes respectives, mais l'arrivée continuelle de personnes déplacées venant d'autres camps maintenait très élevée la population de l'endroit. Pour le général Kagame, cette situation était insupportable et nuisait à la réputation de son administration. Il importait donc à ses yeux de regrouper toutes les personnes déplacées sur une même colline, celle du centre, pour les diriger ensuite vers la sortie. Ainsi, le 18 avril, il prit l'initiative de faire entourer par quelque 2 000 soldats armés les collines où campait tout ce monde. L'arrivée de ces militaires produisit l'effet que le général escomptait : un nombre important de personnes déplacées plièrent bagage et coururent se mettre à l'abri aux abords du complexe des Casques bleus zambiens, assurées de trouver là la sécurité. Peu après, des soldats récemment arrivés commencèrent à tirer des coups de feu en l'air qui provoquèrent une ruée vers la colline centrale pire que la première. Sans raison apparente, la situation continua à se détériorer au cours des jours qui suivirent, si bien que, sans avertissement, les militaires ouvrirent cette fois le feu en direction des personnes déplacées, tuant une vingtaine d'entre elles, en blessant une soixantaine d'autres, tout en resserrant de la sorte le périmètre des réfugiés qui se trouvaient le long des barbelés entourant le complexe des Zambiens.

Après ces événements tragiques, on pouvait espérer une certaine accalmie, d'autant plus que l'objectif de Kagame de réunir toutes les personnes déplacées sur la colline centrale avait été atteint. Il n'en fut pourtant rien. Entassées et privées d'eau, de nourriture et de sommeil, elles se trouvaient ainsi traquées comme du gibier. Ou elles prenaient le chemin de la sortie, s'y enregistraient, comme on leur demandait de le faire, et risquaient la prison, ou elles tentaient de s'enfuir sous les rafales des mitrailleuses lourdes, des grenades ou des mortiers. Plusieurs individus se résignèrent à se rendre à la sortie, à s'y identifier et à prendre, si on le voulait bien, la route boueuse menant à Butare ; d'autres décidèrent au contraire de rompre les cordons de soldats qui les entouraient et de fuir par la vallée toute proche. Parmi ces derniers, un certain nombre tentèrent leur chance à l'ouest du complexe, d'autres, plus nombreux, à l'est, à proximité du poste de contrôle situé près de la sortie. Dans les deux cas, la réaction des militaires fut immédiate et sans pitié. Il semblerait qu'environ 130 personnes perdirent la vie dans le premier cas et près de 2 000 dans le second. Le nombre de blessés fut également considérable. Combien réussirent à prendre la fuite ? La réponse à cette question n'est pas aisée. Un premier document rapporte qu'ils furent 1 000 à le faire, un second qu'ils furent plutôt 10 000.

J'ai par ailleurs appris du général Tousignant que le leadership du général Anyidoho et la conduite des Casques bleus zambiens furent remarquables dans les circonstances. Compte tenu du désarroi qui régnait et de la mission que l'ONU avait donné aux Zambiens, New York suggéra toutefois de retirer ces derniers de Kibeho. Lorsque le général Tousignant mit le commandant du bataillon au courant de cette proposition, ce dernier lui répondit sans détours que son unité s'était mise au service des Nations Unies avec l'idée que de telles situations pourraient exister, qu'elle en avait accepté les risques et qu'en conséquence elle allait demeurer au poste. Les Médecins sans frontières manifestèrent la même

Un Casque bleu canadien devant une statue dite miraculeuse à Kibeho. Selon la tradition, la paroisse de Kibeho fut témoin, en 1981, d'apparitions de la Vierge Marie, qui la transformèrent en un lieu de pèlerinage national. (Photo : J. Castonguay)

détermination et le même courage, ainsi que les médecins militaires australiens en poste à Kigali qui accoururent pour aider leurs confrères. Tous, du début à la fin de cette tragédie, secoururent les personnes déplacées comme si elles étaient des membres de leurs familles, et ce, au péril de leur vie. À Kibeho, la Croix-Rouge accomplit aussi un travail remarquable.

Il n'est pas facile de dire combien de personnes perdirent la vie dans ce camp. L'équipe médicale de la MINUAR estima le nombre de morts à 4 000. Le Bureau de coordination des agences humanitaires parla de 8 000 morts. Quant au président du Rwanda, qui n'avait rien vu des massacres, il déclara que seulement 300 personnes avaient perdu la vie ces jours-là, ce que nia une commission internationale d'enquête qui avait appris que des corps avaient été transportés hors du camp, jetés dans des latrines et ensevelis dans des fosses communes.

* * *

Kibeho fut un important camp de personnes déplacées, mais il ne fut pas que cela. Bien avant les affrontements entre Tutsis et Hutus au cours des années 1990, Kibeho fut une importante paroisse du diocèse catholique de Butare avec tout ce que cela comporte, soit des écoles, un centre communautaire, un dispensaire, etc. Bien plus, Kibeho fut, semble-t-il, témoin à compter de 1981 d'apparitions de la Vierge qui transformèrent la paroisse en un grand centre de pèlerinage. Informé de ces faits, avant de quitter l'endroit je voulus voir ce qui restait de tout cela. Je découvris entre autres sur les lieux, près d'un bâtiment et de débris d'habitations, une statue de la Vierge qui fut un important objet de culte avant la guerre et qui le redevint la paix revenue.

Le voyage de retour à Kigali fut forcément silencieux. Comme nous n'avions rien mangé depuis le matin, le sergent Hann sortit d'une caisse une demi-douzaine de rations importées du Canada par la MINUAR et nous les distribua. Encore sous l'effet des odeurs respirées à Kibeho, personne ne réussit à vraiment manger. Je remarquai par ailleurs au cours de ce trajet, dans un enclos situé à peu de distance de la route, plusieurs tentes, comme on en voyait ordinairement dans les camps de personnes déplacées ainsi que de nombreux enfants qui semblaient s'amuser dans un champ sous la surveillance d'un adulte. Sachant que des familles de personnes déplacées avaient confié leurs enfants aux Casques bleus zambiens avant de quitter Kibeho, je conclus qu'il pouvait s'agir là d'une sorte de refuge pour enfants ou d'un orphelinat. Curieux d'en savoir davantage, je descendis du véhicule, franchis un profond fossé et m'engageai dans un sentier menant à ce campement. À ma grande surprise, je constatai que ma conduite avait déclenché un fort réflexe de peur. En rien de temps, tous les enfants s'étaient volatilisés, leur surveillant inclus. Je leur aurais pourtant volontiers remis nos rations et d'autres choses. Mais il me parut que je n'étais pas le bienvenu. Je fus aussi témoin un peu plus loin d'une rencontre dont je conserve encore un mauvais souvenir. Dans un tournant de la route, notre véhicule se retrouva subitement dans une grande mare, je devrais peut-être plutôt dire un petit lac, et près d'un jeune Rwandais revenant vraisemblablement du marché avec un immense panier sur la tête et une bicyclette dans les bras. Pendant que notre chauffeur effectuait une manœuvre pour l'éviter, lui se débattait, de l'eau jusqu'à la ceinture, pour sauver et sa bicyclette et ses provisions. Je ne suis pas sûr qu'il réussît à sauver les deux… Quant à nous, je suis certain que nous avons perdu quelque chose ce jour-là.

Quand nous arrivâmes à Butare, j'insistai cette fois pour que nous arrêtions à l'Université nationale du Rwanda. Me souvenant qu'on m'avait invité un jour à en assumer la direction, je désirais voir le campus. Les militaires rwandais qui en gardaient l'accès me reçurent poliment, mais malgré mon insistance je dus me contenter de regarder à distance l'édifice principal. Je sus par la suite que les étudiants ne prisaient guère la MINUAR et qu'il fut sage de me tenir ainsi éloigné d'eux.

Un peu fourbus, nous rentrâmes à Trafipro au coucher du soleil, à l'heure du couvre-feu. Trois d'entre nous étaient invités ce soir-là à dîner chez les Casques bleus tunisiens.

Aucun de nous ne put toutefois se rendre à leur invitation. Ayant perdu l'appétit pour plusieurs heures, voire davantage, nous nous contentâmes de passer aux douches et de rejoindre le sergent Jacques Demers qui avait tout préparé pour laver et désinfecter nos bottes et nos vêtements.

Ma visite à Kibeho m'a rappelé plus que toute autre expérience que, pour comprendre un événement, il ne suffit pas de bien lire, il faut aussi regarder, toucher et sentir. Il existe des choses que seuls les yeux du cœur peuvent voir, dixit Saint-Exupéry.

Chapitre XI

De Kigali à Gakoni et au parc de l'Akagera

Mes visites à Kibeho, à Nyarubuye et à Gisenyi m'avaient ouvert les yeux sur certains aspects négligés des événements tragiques du Rwanda. J'avais acquis ainsi la conviction qu'il en serait sans doute de même si je pouvais également me rendre dans le nord-est du pays, en particulier dans la grande région du parc national de l'Akagera où se préparaient de grands bouleversements. Le lieutenant-colonel Richard Powell, commandant de l'unité de logisticiens en poste à Trafipro, vint au-devant de mes désirs en autorisant l'adjudant-maître Robert Lanteigne, qui avait visité cette région, à m'y conduire. Comme il s'agissait d'une expédition dans le Secteur 1 défini plus tôt par le général Dallaire comme non sécuritaire, il fallut en conséquence nous équiper comme on l'avait fait pour les voyages à Kibeho et à Nyarubuye.

Partis tôt de Kigali, nous nous sommes d'abord dirigés vers Kanombe, là où s'était écrasé en flammes l'avion du président Habyarimana, le 6 avril de l'année précédente. C'était aussi le lieu où ce dernier résidait avec sa famille, ainsi que plusieurs éléments de la garde présidentielle. La recherche des responsables de ce crash fit couler beaucoup d'encre. J'ai moi-même écrit sur ce sujet, rappelant qu'il n'y eut aucune enquête officielle sur les causes de cet accident. Les Casques bleus belges furent les premiers soupçonnés d'en être les responsables. Mais cette hypothèse, soulevant plusieurs difficultés, fut bientôt abandonnée. Une hypothèse plus étoffée veut que les responsables aient été des membres de la Coalition pour la défense de la République, probablement aidés par des mercenaires français ou belges. On sait que ce parti s'opposait majoritairement à l'accord d'Arusha qu'Habyarimana était alors à mettre en œuvre. On a aussi prétendu que les responsables étaient des membres du Front patriotique rwandais ou des Forces armées rwandaises, ou encore des Hutus du sud du pays qui ne partageaient pas les idées de leurs compatriotes du nord.

À partir de Kanombe, nous prîmes la direction de Rwamagana, située à une douzaine de kilomètres seulement du parc de l'Akagera. Rendus là, nous nous engageâmes vers le nord, suivant le lac Muhazi, qui me rappela les plus beaux lacs des Laurentides québécoises. La végétation était splendide. Des bananiers géants abondaient de part et d'autre de la route avec leurs gros régimes de petits et de longs fruits. À certains endroits, ces plantes tropicales étaient tellement vigoureuses qu'elles formaient des arches au-dessus de la route. Passé Murambi, les montagnes devinrent moins abruptes qu'au nord-ouest et les grands espaces, plus nombreux. Enfin arriva le parc national de l'Akagera. Les arbres des deux côtés de la route se faisaient beaucoup plus rares, si ce n'est au loin où les acacias formaient une sorte de ligne brisée derrière laquelle on apercevait une chaîne de montagnes s'échelonnant vers le nord jusqu'à la frontière de l'Ouganda.

Comme nous roulions depuis déjà quelques heures, mon compagnon de voyage, pour qui la région n'avait pas de secret, me suggéra de quitter momentanément la route longeant le parc pour faire une visite-surprise à Gakoni, où se trouvait un orphelinat que lui et le personnel de Trafipro avaient précédemment aidé. Sachant que le pays, à la suite des massacres, s'était retrouvé avec environ 500 000 orphelins et que leur retour dans leurs familles d'origine ou leur adoption ne s'avéraient pas une chose facile, je jugeai cette idée excellente. C'était là aussi une question qui ne me laissait pas indifférent. Obliquant vers l'ouest, nous empruntâmes une route de terre étroite, tortueuse et montagneuse qui ne semblait mener nulle part. Enfin, après plusieurs kilomètres qui me donnaient l'impression que nous nous étions trompés de route, apparut un petit lac presque inhabité, si ce n'est par l'orphelinat en question. On pouvait lire sur un panneau *Orphelinat de Gakoni 7 Days Adventist.* En l'absence de son directeur et de son épouse, qui avaient dû retourner aux États-Unis pour cause de maladie, l'institution était dirigée par un Rwandais fort sympathique nommé Uzziel Gapira. Il était entouré de plusieurs de ses compatriotes qui s'affairaient dans des potagers trop petits pour répondre aux besoins des 244 enfants dont il avait la responsabilité. Sans hésitation aucune,

Des enfants rwandais avant la tragédie. Beaucoup se sont retrouvés par la suite en orphelinat ou dans des camps de réfugiés.
(Photo : J. Castonguay)

il me proposa de venir rencontrer ses pensionnaires dont les plus âgés avaient une dizaine d'années. Divisés en groupes de 12 à 15 enfants, ils se partageaient une vingtaine de petites maisons sous la surveillance d'autant de femmes, considérées comme leurs mères. Ma crainte était de les voir tendre la main et me demander des biscuits, mais heureusement il n'en fut rien. C'était l'heure du dîner et chaque « mère » s'occupait de servir ses enfants. Chacune d'elles avait deux grands bassins, un contenant des légumes, l'autre une sauce brune dans laquelle flottaient ce qui me parut être des morceaux de viande ou de poisson. Je visitai trois de ces maisons et fus très impressionné par l'accueil que je reçus dans chacune d'elles. Il faut dire qu'en principe ces enfants étaient dans l'attente de retrouver un jour leur père ou leur mère ou au moins un proche. Le directeur me raconta que des groupes d'adultes venaient à l'occasion les visiter avec des photos en main dans l'espoir de reconnaître un fils ou une fille. Justement quelques jours avant notre arrivée, un de ces groupes s'était présenté, mais il était reparti déçu. Pendant ma visite des lieux, Lanteigne ne perdit pas son temps. Il se rendit au bord du lac examiner la pompe qui en temps normal amenait l'eau aux bâtiments, mais qui ne fonctionnait plus depuis plusieurs mois. Il souhaitait trouver ce qui n'allait pas ou au moins identifier la pièce nécessaire pour la remettre éventuellement en marche. Le directeur nous avoua humblement n'avoir pu faire lui-même cette réparation faute d'argent. Son établissement ayant été saccagé un peu plus tôt, il s'efforçait de répondre d'abord aux besoins essentiels des enfants. Entre- temps, les plus âgés ou les plus forts parmi eux se rendaient chaque jour au lac pour y puiser de l'eau avec de petits récipients ou des seaux.

Uzziel Gapira nous emmena par la suite nous désaltérer à sa résidence, pour notre plus grand plaisir. Bien plus, une fois que nous fûmes chez lui, il voulut nous garder à dîner. Ce que je ne pus accepter. Il me semble que si je l'avais fait, je l'aurais longtemps regretté. L'orphelinat de Gakoni m'avait vraiment intéressé, mais pas au point de ne pas me rendre compte que nous avions été accueillis par de braves gens qui n'étaient pas encore sortis des affres de la guerre.

De retour sur la route longeant le parc national, il fallut songer cette fois à manger. Mon guide, qui n'avait rien dit lorsque je refusai l'invitation à dîner qu'on nous avait faite, se résigna à installer à l'arrière de son véhicule un poêle portatif et à réchauffer les rations qu'il avait apportées. Étant donné que nous étions sur une élévation et bien visibles sur une longue distance, il me convainquit sans peine de revêtir mon gilet pare-balles et mon casque protecteur. Ce qu'il fit lui-même. Ainsi vêtus pour la guerre, nous mangeâmes des rouleaux aux choux, des pommes de terre et des fruits. Et tandis que nous nous préparions à reprendre la route, des antilopes et des zèbres apparurent au loin parmi les acacias et, plus tard, ce qui nous semblait être des lions et des léopards. De nombreuses affiches sur la route nous rappelaient d'ailleurs leur présence possible, précisant qu'ils avaient la priorité sur les véhicules. Ce dont nous ne doutâmes pas un seul instant. Nous demeurâmes là longtemps à les observer dans l'espoir de les voir s'approcher davantage, mais ce fut peine perdue.

Le parc de l'Akagera, qui avant la guerre attirait des zoologues, des touristes ainsi que des braconniers, était riche en animaux sauvages de toutes sortes. On y trouvait des éléphants, des hippopotames, des rhinocéros, des girafes, des buffles, des lions, des léopards, des antilopes, des zèbres, des hyènes et des crocodiles. Les éléphants et les rhinocéros, dont les défenses et les cornes en ivoire étaient convoitées par les commerçants et les braconniers, furent au nombre des premières espèces à disparaître presque complètement. Puis vint la guerre avec ses multiples conséquences. La superficie du parc, qui était estimée avant 1994 à 250 000 hectares, passa en 1995 à 95 000 hectares, ou, si l'on préfère, fut réduite dramatiquement des deux tiers. Plus encore, faute de nourriture pour alimenter à la fois les civils et les militaires, on ne se gêna pas pour chasser librement dans le parc. Selon *Le Monde diplomatique* (1996), les hostilités terminées, cette vaste réserve faunique dut ouvrir grandes ses portes à l'Armée rwandaise et à quelque 300 000 pasteurs tutsis. On exprima alors la crainte que les zèbres, les gazelles et les antilopes disparaissent aussi à leur tour. Rappelons que l'arrivée des Tutsis en exil à partir des années 1994 et 1995 créa au Rwanda un problème de sur-population non négligeable et que cela amena le gouvernement à fractionner le parc. Une solution que les associations vouées à la protection de la faune désapprouvèrent.

* * *

C'est un fait bien connu que de nombreux Rwandais utilisèrent leurs machettes pour éliminer ceux qu'ils considéraient comme leurs ennemis, que ce soient des voisins ou des militaires lointains. Les Forces armées rwandaises ne se contentèrent pas pour leur part de ces instruments rudimentaires. Elles firent l'acquisition d'un arsenal important d'armes légères, de lance-grenades, de canons à moyenne et longue portée et de mines terrestres et anti-personnel. L'organisation Human Rights Watch, dans un rapport publié en janvier 1994, mentionne que leurs fournisseurs ont été l'Égypte, l'Afrique du Sud, la France, et plus tard la Russie. On lisait aussi que les forces du FPR n'étaient pas moins bien équipées, l'Ouganda leur ayant fourni des canons, des armes légères et des munitions. On croit que la Libye et l'Irak avaient fait de même. En me rendant au Rwanda, j'étais donc au courant du fait que le pays qui avait été truffé de mines antipersonnel demeurait à maints endroits dangereux. Je n'avais pas oublié ce que m'avait raconté le général Dallaire, à savoir qu'un enquêteur des Nations Unies, le brigadier Paddy Blagdon, avait conclu qu'au moins 30 000 mines terrestres avaient été disséminées et que la MINUAR n'avait reçu ni l'argent ni l'équipement de déminage convenable pour débar-rasser le pays de ces engins explosifs qui faisaient chaque jour des morts ou des blessés. En arrivant au Rwanda, je m'enquis de la situation concernant ces mines auprès du lieutenant-colonel Powell. Il se montra plutôt rassurant, mais m'avoua qu'il arrivait encore que des civils soient blessés ou tués de cette façon-là. Je pus m'en rendre compte sur le chemin de mon retour à Kigali, après avoir vu le nord-est du pays. L'adjudant-maître Lanteigne m'emmena dans une petite ville, pas bien loin de la capitale, rencontrer une famille éprouvée par ce genre d'arme. Une jeune fille d'une douzaine d'années nommée Missy reposait dans l'entrée de la maison de sa mère en attendant que quelqu'un la transporte à l'hôpital de Kigali pour faire soigner ses blessures. Elle avait marché sur une mine et perdu un œil, une partie de la jambe droite et sa jambe gauche avait été profondément lacérée. À notre arrivée, ses blessures laissaient couler de l'eau, du sang et du pus. Sachant que son père avait perdu la vie et qu'elle n'avait pas d'argent pour retourner à l'hôpital, nous avons aidé sa mère à le faire sans délai. Missy est-elle morte aujourd'hui ? Je n'en sais rien. Si elle a survécu, elle reste un triste témoignage de la tragédie rwandaise récente. Avoir vu Kibeho et Nyarubuye m'a aidé à comprendre le drame rwandais dans sa grande complexité. Loin d'avoir été simplement un événement déplorable comme beaucoup d'autres, il a été pour tout un peuple une expérience immensément cruelle qui a fait quelque 800 000 morts. Certains n'hésitent pas à parler de plus d'un million de morts.

De retour au cantonnement de Kigali, je me rappelai que ce jour-là était le jour anniversaire de la naissance de Marthe, mon épouse. Comme notre établissement était pourvu d'un système de communication par satellite, je l'appelai pour lui offrir mes vœux et lui dire combien la vie était différente dans la partie du monde où je me trouvais.

CHAPITRE XII

UN CHRISTIANISME DE SURFACE OU
UN VENT DIABOLIQUE ?

Les massacres perpétrés au Rwanda, qui se sont soldés par la mort d'environ 800 000 morts, ont soulevé bien des questions et fait couler beaucoup d'encre. On s'est arrêté fréquemment sur les causes de cette terrible tragédie. On s'est demandé entre autres choses comment une pareille catastrophe a pu se produire dans un pays majoritairement catholique et longtemps perçu comme une des plus grandes réussites de l'action missionnaire. Je me suis posé moi-même cette question et j'ai cherché une réponse en lisant quelques ouvrages, mais surtout en interrogeant des témoins que je considérais comme crédibles.

J'ai rencontré en premier lieu le père Bernardin Muzungu de la Fraternité Saint-Dominique de Kigali. Porte-parole d'un groupe de prêtres de la capitale, il m'a répondu qu'une telle tragédie ne pouvait se produire sans la participation de la majorité de la population. Or, les catholiques étaient et sont toujours majoritaires au Rwanda ; c'est pourquoi il faut conclure que sans eux les massacres de l'année 1994 n'auraient pu avoir lieu. Bernardin Muzungu reprend le même raisonnement dans la revue *La Lumière* dont il est le plus fervent collaborateur. Dans le premier numéro de cette publication, il rappelle à ceux qui ne le sauraient pas que « les deux présidents de la République d'alors étaient d'anciens séminaristes qui n'avaient jamais pris leurs distances par rapport aux milieux ecclésiastiques ». On sait que Grégoire Kayibanda, le premier des deux, fut secrétaire particulier de Mgr André Perraudin, partisan de la révolution sociale et vicaire apostolique du Rwanda. On se souviendra que le pape Jean-Paul II, intéressé à visiter les communautés chrétiennes nombreuses dans le monde, a visité le Rwanda en 1990, au moment même où la tension commençait à se faire sentir sérieusement dans le pays. On a exprimé l'opinion qu'il espérait par sa visite favoriser une plus grande compréhension entre les deux groupes ethniques. Il est certain qu'il fut mis au courant de la désaffection de nombreux Rwandais pour l'Église catholique. On sait d'autre part que la hiérarchie catholique rwandaise ne demeura pas non plus entièrement passive au cours de ces années-là. Le 18 décembre 1991, avec l'appui du FPR et des partis d'opposition, elle réclama un gouvernement transitoire indépendant pour résoudre le problème des réfugiés qui fut à l'origine des troubles d'octobre 1990. Elle revint à la charge le 8 février de l'année suivante en demandant cette fois la formation d'un gouvernement capable de négocier avec le FPR. Pour le père Marius Dion, le dernier dominicain à avoir enseigné à l'Université nationale du Rwanda, l'Église catholique a favorisé la révolution dans ce pays. Après avoir appuyé les Tutsis à l'époque de Mgr Léon Classe (1935), elle s'est tournée vers les Hutus, les plus démunis, et ce, avec l'arrivée d'une génération de missionnaires plus jeunes.

Dire que les massacres de l'année 1994 furent amorcés par une population majoritairement catholique ne signifie toutefois pas qu'il n'y a pas eu de victimes parmi les catholiques, y compris les ecclésiastiques, les religieux et les religieuses. On estime en effet qu'une centaine de prêtres et environ 200 religieux et religieuses perdirent la vie cette année-là. Trois évêques furent aussi assassinés, dont l'archevêque de Kigali. On sait par ailleurs que de nombreux Tutsis, croyant que les églises étaient des endroits sûrs et inviolables, se réfugièrent dans ces lieux de culte et qu'un certain nombre y furent tués. Quant aux églises elles-mêmes, plusieurs d'entre elles furent saccagées et brûlées. Les communautés religieuses furent tout autant éprouvées. Au centre Christus des jésuites, situé à Remera, par exemple, 17 membres de cette institution furent fauchés par les tirs de mitrailleuses ou de fusils automatiques. Combien de prêtres, de religieux et de religieuses ont par ailleurs échappé à la mort grâce à l'intervention rapide et efficace du major Brent Beardsley, adjoint administratif du général Dallaire, qui les aida à quitter momentanément le pays ?

On a écrit que des prêtres avaient également pris part aux massacres. Il semblerait bien que ce fut le cas. Ce dont je suis sûr c'est qu'un certain nombre d'entre eux furent soupçonnés de l'avoir fait. Au cours de mon voyage de retour au Canada, par exemple, j'ai eu comme voisin dans l'avion qui me ramenait à Bruxelles un prêtre qui m'a raconté qu'à la fin des massacres il s'était réfugié en Tanzanie et qu'il retournait dans son pays parce qu'il était au nombre des personnes soupçonnées d'avoir participé au génocide. J'ai remarqué que mon voisin avait au moins trois compagnons à bord de l'avion et qu'ils avaient pris la précaution de ne pas s'asseoir ensemble. À la descente de l'avion, tous les quatre disparurent comme par enchantement et j'arrivai seul à la douane.

J'ai rencontré chez les pères palotins de Kigali la deuxième personne à laquelle j'ai demandé comment on s'expliquait le fait que des Rwandais dits catholiques avaient pu massacrer leurs compatriotes comme ils l'avaient fait. Mon interlocuteur, qui était le nonce apostolique intérimaire à Kigali, c'est-à-dire l'ambassadeur du Vatican au Rwanda, a voulu me recevoir à deux reprises, la première fois à sa résidence, la seconde fois à la nonciature. Polonais d'origine, tout comme le pape, le père Henrik Hoser, puisqu'il s'agissait de lui, parlait avec la même autorité que celui qu'il représentait au Rwanda. Il me précisa qu'il était évident qu'au Rwanda seule une élite avait assimilé les valeurs chrétiennes et que ce n'était pas le cas de la masse qui avait perpétré les massacres. Me donnant ensuite un cours sur l'histoire de l'Église catholique, il me parla des pays chrétiens, tels que la Pologne, l'Espagne et la France, qui connurent tous des situations analogues. Cela ne manqua pas de me rappeler la guerre de Vendée durant laquelle une population ardemment catholique, armée de bâtons, de piques, de faux et de serpes, parcourut les villes et les villages pour massacrer leurs compatriotes et brûler les registres publics. Le discours du père Hoser me rappela aussi qu'en Espagne les partisans de la République, tous officiellement catholiques, poursuivirent leurs opposants nationalistes fléaux, fourches et bâtons en mains. Au cours de cette guerre, 1 200 000 Espagnols périrent. Le génocide des Juifs à l'époque du IIIe Reich, avec ses charniers et ses camps d'extermination, fut aussi effroyable. Les historiens qui ont écrit que « les Africains tuent les Africains » depuis longtemps auraient-ils oublié que les Rwandais n'ont rien inventé de ce point de vue en 1994 ?

Le père Hoser a aussi affirmé qu'à ses yeux il n'y aurait pas eu de génocide, c'était là le terme qu'il utilisa, si la MINUAR avait eu le mandat d'imposer la paix et reçu les moyens de le faire (chapitre 7 de la charte de l'ONU). Le mandat de la MINUAR était originellement vicié, un vrai péché originel. Un mandat bon pour des scouts et non pour des militaires. Les pays qui fournissent des hommes à l'ONU ne sont pas prêts à les voir mourir. À Sarajevo deux militaires perdirent la vie. Tout le monde pleura l'événement. Au Rwanda, 5 000 hommes furent massacrés (à Kibeho) et, pendant qu'on transportait leurs restes dans des camions à ordures ou les jetait dans des fosses communes, la réaction internationale fut presque nulle. La réduction de la MINUAR au mois d'avril était aussi quelque chose d'incompréhensible pour les non initiés. Les mandats donnés aux missions des Nations Unies sans les moyens appropriés pour les exécuter sont des mandats immoraux. Ce jugement global sur la MINUAR, son mandat, les moyens dont elle disposait, de même que sur sa réduction, étonne venant d'un ecclésiastique. Il anticipait, on ne saurait cependant le nier, et recoupait les principales conclusions de l'enquête indépendante présidée en 1999 par Ingvar Carlsson, ancien premier ministre de Suède.

L'opinion du nonce apostolique intérimaire sur la relation des catholiques rwandais avec les événements du printemps 1994 ne diffère guère d'autres opinions émises sur le même sujet. Pierre Erny, dans son excellent livre sur les événements au Rwanda en 1994, se dit d'accord avec ceux qui affirment qu'au Rwanda, comme ailleurs dans les pays de la vieille chrétienté, on peut parler d'une christianisation de masse et d'une sacramentalisation de surface. Il s'interroge néanmoins sur ce qu'il est advenu de la ferveur ravivée au Rwanda par les apparitions mariales de Kibeho, et sur ce qu'il faut penser de la conduite héroïque de ces Hutus qui ont tout fait pour cacher et protéger leurs voisins tutsis au risque de leur propre vie. Il s'interroge également sur le témoignage de ce missionnaire qui affirme qu'à Nyamirambo la prière pour la paix fut permanente et qu'à ses yeux il faut voir là un mystère du mal indéchiffrable. Erny cite aussi le témoignage d'une carmélite réfugiée en France qui laisse songeur : «Cela me blesse quand j'entends dire que l'évangélisation du Rwanda avait été mal faite, que notre christianisme n'était que de surface. Ce n'est pas vrai. Nos chrétiens étaient de vrais chrétiens, ils priaient souvent le chapelet les uns chez les autres, nos familles ont encouragé nos vocations, tout cela n'était pas une apparence. Mais qui aurait pu résister à ce vent de folie qui a balayé notre pays comme un typhon? C'était vraiment diabolique.» Erny termine son analyse en disant que «la tonalité générale des témoignages tourne autour d'un échec».

J'ai eu aussi l'occasion d'interroger le père Yvon Pomerleau, un dominicain canadien qui œuvra au Rwanda et au Burundi pendant un quart de siècle. Il fut par la suite assistant du maître de son ordre à Rome. Sa pensée plus articulée que celle du père Hoser s'apparente toutefois à celle de ce dernier. À ses yeux, le Rwanda a été christianisé par plusieurs générations de missionnaires occidentaux, mais non dans toutes ses dimensions. Les Rwandais ont appris à observer les préceptes de la morale individuelle, mais méconnaissent la façon de se comporter au sein d'une société multiethnique. C'est là un domaine non touché par l'Évangile, une zone d'ombre du christianisme rwandais. Considérant par ailleurs que l'appartenance ethnique est quelque chose d'important dans la conscience rwandaise, c'est là un domaine en voie d'évangélisation qui ne saurait être négligé.

Chapitre XIII

« C'était le diable sorti de l'enfer »

Le 7 juin au matin, le premier ministre Faustin Twagiramungu me fait savoir qu'il aimerait me rencontrer avant mon départ pour le Canada. Il occupe sur une colline de Kigali entourée de conifères une villa construite il y a déjà un certain temps pour le premier président de la République, Grégoire Kayibanda. Je m'y rends en compagnie du représentant de l'ambassadeur du Canada, Claude Latulippe, et de deux officiers de la MINUAR. Bien que l'édifice soit sous la garde de plusieurs soldats de l'Armée patriotique rwandaise armés de mitrailleuses, l'accueil est courtois et on me dirige, sans contrôle d'aucune sorte, vers le bureau du premier ministre. Mes compagnons sont priés de demeurer à distance de l'édifice. La pièce dans laquelle travaille Faustin Twagiramungu est vaste et presque sans meubles. Il ne dispose lui-même que d'un modeste bureau. Il n'est pas facile dans les circonstances d'oublier que le pays est à peine sorti de la guerre et fait encore face à de gigantesques problèmes de réfugiés, de stabilisation et de reconstruction.

Ayant habité au Québec et étudié à Montréal, le premier ministre, qui est un Hutu modéré, se dit heureux de rencontrer de nouveau un Montréalais et me demande des nouvelles du général Dallaire. Je lui dis qu'il m'a prié de lui présenter ses salutations. Il me parle ensuite à voix basse, si bien que je dois être très attentif pour ne rien perdre de la conversation. Travaillant sous l'autorité du vice-président Paul Kagame et du président Pasteur Bizimungu, il adopte même à mon endroit le ton de la confidence. Les événements qui suivirent ma visite m'ont permis de comprendre plus tard que les relations au sommet n'étaient pas les meilleures à l'époque. Quoi qu'il en soit, mon hôte répond avec bienveillance à mes questions, tout en prenant l'initiative d'aborder des sujets qui lui sont chers.

Tenant ostensiblement dans ses mains une copie des accords d'Arusha, lesquels devaient permettre une cohabitation pacifique des Hutus et des Tutsis, il me donne tout d'abord son opinion sur la MINUAR venue au Rwanda contribuer à la mise en place de ces accords. Son opinion diffère de celle qu'a exprimée plus tôt le nonce apostolique intérimaire en poste à Kigali. Il croit que la mission avait reçu de l'ONU un mandat bien conçu, qui aurait dû normalement favoriser l'installation sans heurt d'un gouvernement provisoire. « Si ça ne s'est pas fait comme prévu, c'est qu'il y a eu des durcissements et qu'ils ont machiné des choses… » me dit-il. Et il ne croit pas bon d'en dire davantage. Il est par ailleurs beaucoup moins hésitant lorsque je lui demande de me parler des événements du 6 avril 1994 et des jours qui suivirent. « Les Rwandais, me dit-il, ne comprennent pas pourquoi la MINUAR ne les a pas protégés contre des gens qui utilisaient des machettes et des massues. Ne devait-elle pas intervenir dans de telles circonstances ? Elle n'avait sans doute pas les moyens de le faire. Dans le cas du premier ministre, Agathe Uwilingiyimana, et des Casques bleus belges, ne s'agissait-il pas d'un cas de légitime défense ? » ajoute-t-il.

* * *

Cela dit, mon interlocuteur me parla du général Dallaire qu'il avait bien connu dans des conditions difficiles. Menacé de mort, au tout début des massacres, le ministre avait dû s'enfuir de sa résidence durant la nuit du 6 au 7 avril et trouver refuge au quartier général de la MINUAR. Il dit se souvenir d'avoir vu à cette époque le général au travail la nuit comme le jour, lorsqu'il n'était pas à l'extérieur. « Il a accompli beaucoup de choses, me dit-il. Il a tout essayé pour réunir les parties. Il a fait tout ce qu'il était possible de faire. Je l'ai vu à trois heures du matin à l'ouvrage, puis couché en uniforme sur un petit lit de fortune, puis de nouveau à l'ouvrage. Il cherchait sans cesse des solutions. S'il avait eu avec lui quelqu'un d'autre que Booh Booh, il aurait pu faire davantage. Booh Booh était un homme d'État envoyé par l'ONU, non

Le premier ministre Faustin Twagiramungu
reçoit l'auteur à son bureau de Kigali.
(Photo : J. Castonguay)

l'homme dont on avait besoin. Le général Dallaire avait ça dans le sang. Un militaire qui ne se décourageait jamais. Un militaire authentique, quoi. »

Faustin Twagiramungu me parla ensuite du général Tousignant et de la MINUAR 2. « Le général Tousignant est un administrateur compétent qui fait du bon travail, me dit-il. La guerre est terminée, mais sa présence et celle de ses hommes sont nécessaires pour assurer la sécurité aux frontières et contribuer au retour des réfugiés. On aimerait toutefois que les effectifs de sa force soient diminués de moitié. Les Casques bleus sont tellement nombreux avec leurs véhicules qu'ils humilient l'armée nationale et la rendent jalouse. » Je ne le contredis pas sur ce point, ayant moi-même été frappé par le nombre de véhicules « UN » sur les routes depuis mon arrivée à Kigali.

Parlant de son pays, le premier ministre insista sur le fait qu'il était pauvre, qu'il avait besoin de l'aide humanitaire et de logis additionnels, et que les ONG ne pouvaient guère faire davantage. « Les ONG étaient nombreuses à Haïti. Voyez ce que cela a donné. »

Se faisant philosophe, Twagiramungu m'expliqua ensuite que « le temps au Rwanda est fonction de tout. La vie n'est pas un accident. La jeunesse ne s'en soucie guère. Le temps n'est plus à rigoler. Il y a trop d'individualisme. Il faut penser ensemble l'avenir, oublier le passé qui fut "le diable sorti de l'enfer", et concevoir un plan économique et politique viable et le réaliser. Je comprends qu'on ne peut être jovial quand on a connu un génocide. »

À l'invitation du général Dallaire, devenu commandant du Secteur de l'Est de la Force terrestre du Canada en 1995, j'ai rencontré de nouveau Faustin Twagiramungu à Montréal le 10 novembre de cette année-là, soit moins de six mois après l'avoir visité à Kigali. Nous avons discuté une fois de plus du Rwanda, mais de façon différente. N'ayant pas la liberté d'exercer ses fonctions comme il croyait devoir le faire, il avait été contraint de remettre sa démission. Au moment d'écrire ces lignes, j'apprends que le général Kagame vient d'être élu président de la République du Rwanda et que son adversaire était nul autre que Faustin Twagiramungu.

* * *

Les commandants adjoints, en raison de leurs fonctions, demeurent souvent dans l'ombre. Cela ne signifie pas qu'ils soient incapables d'assumer de grandes responsabilités. Souvent, seules les circonstances veulent que ces derniers ne soient pas appelés à commander une unité ou une formation supérieure. Ce fut le cas pour le général Henry Anyidoho qui occupa le poste de commandant adjoint de la MINUAR sous les généraux Dallaire et Tousignant. À Arusha, les négociateurs avaient convenu de réclamer que la mission à laquelle ils songeaient soit commandée par un officier canadien et non par un officier français ou un officier belge, lesquels ne faisaient pas l'unanimité auprès des parties en cause.

Le brigadier Anyidoho était remarquable de plusieurs façons. C'est ce dont je me souviens pour l'avoir rencontré à Kigali et à New York et l'avoir interviewé. Il était physiquement impressionnant. Grand et massif, il imposait le respect. À ses côtés, le général Dallaire donnait l'impression d'être de petite taille, ce qu'il n'est pourtant pas. Anyidoho était aussi un leader estimé non seulement des Casques bleus ghanéens, auxquels il appartenait, mais de tous les membres de la mission ainsi que des Rwandais avec lesquels il fut appelé à travailler. Sa qualification et son expérience étaient incontestables. Il avait fait un stage au U.S. Marine Corps Command and Staff College, à Quantico, en Virginie, et avait pris part à plusieurs missions de l'ONU dans le monde. Arrivé au Rwanda le 29 décembre 1993, il servit sous le général Dallaire et sous le général Tousignant en 1994 et 1995. Au moment de retourner au Canada au milieu d'août 1994, le général Dallaire avait proposé à l'ONU qu'on lui confie le commandement de la MINUAR, mais le secrétaire général refusa de le faire. À l'époque, l'engagement du Canada au Rwanda ne cessant de croître, on préféra que la mission demeure sous le commandement d'un Canadien.

Le général Anyidoho se fit aussi remarquer au sein de la MINUAR pour son dévouement et son courage. Voyant que le général Dallaire n'hésitait pas à se rendre au centre et à l'extérieur de la ville peu escorté, il se proposait pour le remplacer de peur que la mission ne perde son chef. Il fut ainsi actif dans les transferts risqués de réfugiés se trouvant dans l'hôtel des Mille Collines et ailleurs. Négociant avec les miliciens et le FPR, il permit à plusieurs d'entre eux de passer à l'arrière de la ligne de feu. Il joua aussi un rôle important dans les négociations pour l'obtention d'un cessez-le-feu entre les belligérants. Il prit la relève de son commandant quand celui-ci se trouva dans une impasse. Lorsque je l'ai rencontré pour la première fois, il revenait du camp de Kibeho, où les Casques bleus zambiens s'étaient au risque de leur vie, portés au secours des personnes déplacées. Il leur apporta un encouragement indéniable. De mes rencontres avec lui, je retiens aussi que sans le contingent de son pays, la MINUAR n'aurait pas survécu après le départ des contingents de la Belgique et du Bangladesh. Ce que ne nia pas le général Dallaire. S'il est vrai que ce dernier respectait beaucoup son adjoint, il faut dire que cette admiration était réciproque. Aux yeux de Henry Anyidoho, non seulement le général Dallaire était confiant et audacieux, mais il encourageait ceux qui l'entouraient à ne pas lâcher.

Le brigadier général Henry Anyidoho,
commandant adjoint de la MINUAR et commandant du contingent ghanéen
qui assura la survie de la mission après le départ du bataillon belge.
(Photo : J. Castonguay)

CHAPITRE XIV

RENCONTRE DERRIÈRE LES BARBELÉS
DU STADE AMAHORO

Je revenais d'une visite chez le premier ministre lorsque j'appris que le ministre Patrick Mazimpaka acceptait de me rencontrer. Comme il était non seulement ministre de la Jeunesse et du Développement associatif, mais aussi un membre influent du Front patriotique rwandais, je voyais en lui une source de renseignements non négligeable. Il me donna rendez-vous au stade Amahoro situé à quelques pas du quartier général de la MINUAR. Je savais que ce stade avait joué un certain rôle durant la guerre, mais je n'avais pas pu jusque-là m'en approcher, gardé qu'il était par l'APR. Il avait servi entre autres de refuge à de nombreux Rwandais durant les massacres et à des membres du contingent du Bangladesh. Ces derniers, ayant reçu l'ordre de leur chef d'état-major, à Dacca, de ne prendre aucun risque, s'étaient enfermés à l'intérieur de ses murs peu après le début des hostilités. Des membres du contingent belge, exposés à être eux aussi massacrés, voulurent également s'y réfugier, mais ils durent attendre deux longues heures avant qu'on leur ouvre les portes.

Comme convenu, l'adjudant-maître Lanteigne me conduisit à cet endroit vers 16 h 45. Étant donné que le stade était complètement entouré de barbelés depuis plus d'un an, il ne me fut pas facile d'en trouver l'entrée. Des militaires rwandais intrigués par ma présence acceptèrent cependant de me venir en aide. Ce qui était plutôt rare. Après moult explications de ma part, ils me dirigèrent vers le bureau du ministre situé dans l'aile droite de l'édifice, à l'étage supérieur. N'ayant pas oublié la simplicité du bureau du premier ministre, je ne fus pas trop surpris de voir le dénuement de celui du ministre Mazimpaka. Un modeste pupitre en bois, en face duquel se trouvait une petite table à café encadrée de quelques fauteuils défoncés par l'usage, C'était ce dont disposait le ministre pour recevoir ses visiteurs. J'étais à me demander si j'étais vraiment au bon endroit quand il arriva.

Plutôt jeune, il projetait l'image d'un homme doué, dynamique et confiant. Il me serra la main comme on le fait à un ami de longue date et m'invita à m'asseoir. Il voulut d'abord me dire en deux mots son attachement au Canada. Il y avait vécu avant les négociations d'Arusha, avait enseigné à l'Université de la Saskatchewan et considérait qu'il était encore chez lui au Canada. D'ailleurs, sa femme et ses deux enfants s'y trouvaient toujours, résidant à Saskatoon. Il était revenu au Rwanda pour représenter le FPR aux négociations finales d'Arusha et prendre ensuite part aux événements qui suivirent.

S'il m'avait fallu toute mon attention pour ne rien perdre des idées émises par le premier ministre, je n'eus aucune peine à suivre le ministre Mazimpaka dont l'anglais ne diffère en rien de l'anglais parlé au Canada. Spontanément, il engagea la conversation sur l'accord d'Arusha et le premier mandat de la MINUAR. Il m'expliqua que les négociations furent ardues à Arusha pour la simple raison que le FPR négociait avec un gouvernement de coalition dont les représentants du parti majoritaire provenaient du MRND, le parti révolutionnaire hutu fondé et dirigé par Habyarimana. Comme l'accord visait à mettre en place un contrôle collectif du pouvoir, ce parti devait envisager une perte de ce point de vue ou encore se trouver éventuellement en guerre. Dans les deux cas, il était donc perdant, ce qui l'amena à livrer une dure bataille.

Pour ce qui est du mandat de la MINUAR, le ministre le jugea acceptable, mais non sans faute. « Il lui manquait un vrai service de renseignements. On lui passait de l'information, me dit-il, mais elle était incapable d'en vérifier la véracité. Aussi, elle demeurait sceptique et ne réagissait pas adéquatement. Si le Conseil de sécurité avait vraiment su ce qui se passait, il aurait réagi autrement, aurait donné un autre mandat à sa mission et évité ainsi le génocide. Je me suis rendu moi-même à New York, précisa-t-il, pour expliquer ce qui se passait, mais le représentant du gouvernement qui était présent a tout nié et on l'a cru. » On trouve un écho de ce jugement dans l'enquête indépendante chargée d'examiner les actes de l'ONU lors du génocide rwandais de 1994, en particulier en ce qui a trait à la transmission de l'information et à la présence à l'ONU du seul représentant du gouvernement d'Habyarimana à partir du mois de janvier 1994.

«Je crois par ailleurs que l'usage des armes aurait dû être autorisé, du moins dans certaines circonstances», me dit-il. Et il me donna deux exemples. «On a transféré huit enfants du nord au sud du pays à bord de deux jeeps. Ils sont tombés dans une embuscade. Le major du Bangladesh responsable de l'opération n'a pas su réagir comme l'exigeait la situation, et ce fut la catastrophe.» Le deuxième exemple du ministre avait trait à la mort des 10 Casques bleus belges à Kigali. Sa pensée recoupait ici celle du nonce apostolique citée précédemment et celle du premier ministre Twagiramungu. Ne connaissant pas la situation dans laquelle se trouvaient alors ces Casques bleus, il exprima l'avis qu'on aurait dû faire usage de la force dans cette situation. On se souviendra que la Cour militaire de Bruxelles acquitta dans cette affaire le colonel Luc Marchal, commandant du contingent belge, de toute responsabilité dans la mort des Casques bleus et qu'il en fut de même pour son adjoint, le lieutenant-colonel Dewez.

Selon Mazimpaka, le mandat de la MINUAR 2 approuvé par le Conseil de sécurité le 17 mai 1994 fut particulièrement difficile à définir. On voulait augmenter considérablement l'effectif de la force de la mission pour obtenir le plus tôt possible la fin des hostilités et écarter ainsi le danger que courait la paix dans la région. Mais pour le FPR un cessez-le-feu était souhaitable à la seule condition que les massacres cessent préalablement, tandis que pour le gouvernement et les Forces armées rwandaises il importait d'obtenir au préalable un cessez-le-feu, l'arrêt des massacres pouvant attendre. C'est ainsi que le Conseil de sécurité, après avoir invité fermement les parties à conclure un cessez-le-feu, attribua aussi à la mission la responsabilité de contribuer à la sécurité des personnes déplacées, des réfugiés et des personnes en danger, ainsi que la responsabilité de veiller à la distribution sécuritaire de l'assistance humanitaire. L'effectif de la mission fut alors porté, on l'a déjà dit, à 5 500 militaires.

La fin de l'opération Turquoise et le départ des troupes françaises, le 21 août 1994, ne signifièrent pas l'arrêt complet des incidents dans le sud-ouest du Rwanda. Il ne se passa pas un mois sans que des accrochages sanglants mettant en cause des Interahamwes, d'anciens membres des FAR et des membres du FPR se produisent ici et là, et ce, jusqu'aux abords du lac Kivu. On fit aussi état à cette époque d'une recrudescence de banditisme. Le ministre Mazimpaka, en sa qualité de ministre de la Jeunesse, suivait la situation de près. Ne cherchant pas à minimiser l'importance des affrontements qui faisaient régulièrement des victimes, il me fit remarquer qu'un nombre limité de membres de la MINUAR troublaient aussi occasionnellement la paix à Kigali. Sachant que l'effectif de la force dépassait les 6 000 hommes au mois de janvier 1995, il se disait compréhensif, mais souhaitait que ce nombre soit bientôt réduit de façon importante. Le gouvernement avait demandé au Conseil de sécurité de ramener le nombre de Casques bleus au Rwanda à 1 800 personnes dès juin 1995. Il se dit aussi préoccupé par le nombre d'orphelins dans le pays, tout en appréciant grandement l'aide que leur procuraient de nombreux bénévoles de la MINUAR. Il estimait qu'il y avait encore dans le pays pas moins de 400 000 orphelins. Et comme son gouvernement se souciait de la reconstruction, l'adoption de ces enfants par des étrangers n'était pas autorisée. Ce qu'auraient aimé faire un certain nombre de Casques bleus.

Ma rencontre avec le ministre Mazimpaka prit fin à 18 heures. Comme il n'y avait pas d'électricité dans le stade, ni à l'extérieur, durant les 30 dernières minutes de notre rencontre, je ne voyais plus mon interlocuteur et n'entendais plus que sa voix. Aussi j'avais cessé de prendre des notes, mais je me souviens qu'il me parla du général Tousignant, qu'il estimait pour sa compétence en logistique et pour sa façon d'organiser ses services et ses secteurs.

Nous avons quitté ensemble le stade. Deux véhicules remplis de militaires armés l'attendaient au bas des gradins. Il m'invita à monter avec lui et je me trouvai ainsi sous bonne garde jusqu'à ce qu'on retrouve mon chauffeur à proximité du quartier général de la MINUAR. Comme le couvre-feu était déjà vigueur, il nous fallut attendre l'arrivée d'une escorte de Trafipro pour regagner nos quartiers en sécurité.

CHAPITRE XV

LES MISSIONS DU GÉNÉRAL DALLAIRE

De retour au Canada avec un sac de voyage plein de documents de toutes sortes concernant directement ou indirectement les missions des Nations Unies au Rwanda de 1993 à 1994, je retrouvai le général Dallaire à Saint-Hubert, au Québec, où il assumait les responsabilités de commandant adjoint de la force terrestre et de la 1ere Division canadienne. Il continua de me raconter ses deux missions au Rwanda, d'abord la mission d'observation à la frontière de l'Ouganda, puis celle qui faisait suite à l'accord d'Arusha prévoyant l'établissement d'un gouvernement transitoire à base élargie. Par l'effet de promotions successives, le général fut muté par la suite à Montréal, où il assuma cette fois le commandement du Secteur de l'Est de la Force terrestre, puis à Ottawa, où il fut nommé chef du personnel militaire des Forces canadiennes, puis chef d'état-major du sous-ministre adjoint (personnel). Je continuai donc ma collecte occasionnelle de renseignements dans ces deux villes.

Officiellement, mon travail se termina le 4 décembre 1996 avec la remise d'un rapport historique au ministère de la Défense. Je fus ensuite autorisé à publier un volume sur le même sujet. Intitulé *Les Casques bleus au Rwanda*, il parut à Paris, aux éditions L'Harmattan, en 1998. Ce livre étant accessible au public, je n'ai pas l'intention d'en reprendre ici le contenu. Je voudrais simplement faire dans le présent chapitre quelques commentaires relativement à des questions qu'on m'a posées consécutivement à cette publication. Elles ont trait en particulier à des décisions prises par le Conseil de sécurité, le Département des opérations de maintien de la paix et la MINUAR. Mes commentaires correspondent, il va sans dire, à ma propre compréhension des événements et des renseignements que j'ai obtenus au cours de mes entrevues et ne reflètent pas nécessairement la pensée de mes interlocuteurs, y compris le général Dallaire.

Le général Roméo Dallaire à Kigali en 1994.
(Photo : J. Castonguay)

Question. Le 15 août 1993, le secrétaire général de l'ONU, Boutros Boutros Ghali, annonça sa décision d'envoyer une mission de reconnaissance au Rwanda afin d'estimer, entre autres choses, les ressources humaines et financières dont devait disposer la force qu'il projetait d'envoyer dans ce pays pour établir et maintenir un climat de sécurité propre à l'installation à Kigali d'un gouvernement de transition à base élargie. Cette mission, dirigée par le général Roméo Dallaire, arriva à la conclusion que cette force devait compter, eu égard aux circonstances, environ 4 500 militaires. Comment expliquer le fait que le Conseil de sécurité approuva le 15 août 1993 la formation d'une force comptant au maximum 2 548 militaires et que son commandement fut néanmoins confié au général Dallaire lui-même ?

Commentaires. Il est certain que la décision prise par le Conseil de sécurité de n'envoyer qu'environ 2 500 militaires au Rwanda ne reposait pas sur des motifs d'ordre stratégique. Tout au long des discussions qui précédèrent l'approbation de cette force, il fut en effet question de faire des économies et de réduire l'effectif maximal prévu. Dès le 13 mars de cette année-là, le Conseil de sécurité, qui se penchait sur le dossier rwandais, se disait prêt à constituer « une petite force de paix », rien de plus. De nouveau, le 22 juin, cet organisme, en décidant d'envoyer une mission au Rwanda, disait le faire avec beaucoup de circonspection dans ce qui lui paraissait être au Rwanda une guerre civile en puissance. Il faut dire que le Conseil de sécurité réagissait, semble-t-il, à l'information qu'il recevait du Secrétariat de l'ONU. Je reviendrai plus loin sur ce sujet. Du côté des États membres, seule la France semblait vraiment intéressée d'une certaine façon à ce dossier. Les États-Unis, après les pertes qu'ils avaient subies en Somalie, ne voulaient plus entendre parler des conflits en Afrique et le Canada n'était prêt à mettre à la disposition de l'ONU qu'un seul homme, soit le général Dallaire. C'est ainsi que ce dernier accepta, vraisemblablement sous pression, de repenser sa stratégie et la répartition des forces que l'ONU était prête à lui consentir pour mener à terme l'installation pacifique du gouvernement rwandais à venir. Pour le général Baril, qui était alors conseiller militaire du secrétaire général de l'ONU, et que j'ai pu interviewer à l'époque, le général Dallaire avait les capacités pour relever un tel défi, et ce, avec la moitié des militaires qu'il espérait avoir au départ. Il avait, me dit-il, les aptitudes et la compétence nécessaires pour planifier et organiser la force dont avait besoin le Rwanda dans les circonstances. On se souviendra que le premier ministre rwandais Twagiramungu et le ministre Mazimpaka étaient aussi l'un et l'autre assez satisfaits du mandat attribué à la MINUAR, du moins dans son ensemble.

Question. Pourquoi n'a-t-on pas autorisé en 1993 la création au Rwanda d'une mission selon le chapitre 7 de la charte de l'ONU, comme on l'a fait plus tard avec l'opération Turquoise entreprise par la France dans le sud-ouest du Rwanda ? S'il en avait été ainsi, la mission aurait eu la capacité d'intervenir et de prévenir de la sorte ce qu'on estime généralement avoir été un génocide. La présence des troupes françaises au Rwanda n'a-t-elle pas mis un terme aux massacres ?

Commentaires. Le Conseil de sécurité a autorisé le 5 octobre une mission de maintien de la paix au Rwanda pour la raison que la paix, quoique précaire, existait à ce moment-là et que les parties en cause avaient demandé la présence des Casques bleus pour créer et maintenir un climat propice à l'établissement d'un gouvernement transitoire à base élargie et non pour intervenir militairement. Là où il y a désaccord sur cette question, c'est à partir du 6 avril 1994, lorsque débutèrent vraiment la guerre entre les Forces armées rwandaises et les forces du Front patriotique rwandais ainsi que les massacres opposant les Hutus aux Tutsis et à leurs sympathisants. On émit alors l'opinion que le Conseil de sécurité aurait dû modifier complètement le mandat de sa mission au Rwanda et lui donner l'autorisation d'intervenir militairement en lui fournissant les moyens de le faire. Selon les auteurs de l'enquête indépendante Carlsson, le Conseil de sécurité a erré à ce moment-là.

En ce qui concerne l'opération Turquoise, elle fut approuvée à la demande de la France durant le conflit entre le gouvernement rwandais et le FPR et durant les massacres qui l'accompagnèrent. L'objectif de cette opération étant d'établir une zone humanitaire sûre, il n'était pas impossible que pour en arriver là, il fût nécessaire d'intervenir avec les armes. Les opinions sont pourtant partagées sur cette question, surtout en ce qui a trait à la capacité de la force envoyée à ce moment-là par la France au Rwanda. Selon des observateurs, la France songeait alors à intervenir militairement en faveur du gouvernement rwandais, comme elle l'avait fait en 1992. Le gouvernement français envoya au Rwanda pour l'opération Turquoise 2 500 hommes, et plus de 5 000 tonnes de matériel, soit 12 automitrailleuses légères (AML 90), des véhicules de l'avant blindés (VAB) sanitaires, 6 compagnies d'infanterie, 150 hommes du Commandement des opérations spéciales, une batterie du 11e Régiment d'artillerie de Marine et un détachement de l'Aviation légère de l'armée de terre. Huit avions d'appui tactique (4 Jaguar et 4 Mirages) étaient également maintenus sur la base de Kisangani. Cela représentait beaucoup et eut naturellement pour effet de faire cesser presque complètement les massacres au sud-ouest du Rwanda.

L'enquête indépendante mentionnée précédemment jugea par ailleurs inopportune l'existence simultanée de deux missions de l'ONU au Rwanda et affirma que la France aurait dû mettre ses troupes au service de la MINUAR au lieu d'entreprendre une opération autonome.

Question. La question qui suit concerne l'effectif de la MINUAR. Pourquoi la mission a-t-elle été réduite officiellement à 270 militaires et n'a-t-elle pas au contraire été augmentée ? Compte tenu de la gravité des massacres et de l'importance de la guerre civile, n'aurait-il pas été normal que sa capacité soit renforcée numériquement et autrement ?

Commentaires. Si l'ONU avait décidé d'intervenir militairement en vertu du chapitre 7 de sa charte, il n'est pas douteux qu'elle aurait donné à sa force la capacité de le faire. Le secrétaire général Boutros Ghali l'a affirmé. Mais ce ne fut pas le cas. Elle demeura une mission de maintien de la paix, même si la paix était dès lors inexistante. Après le retrait des contingents de la Belgique et du Bangladesh, le général Dallaire ayant été informé qu'il ne pouvait espérer recevoir de renforts et d'appui logistique, présenta trois options au secrétaire général :

A) conserver les 1 200 militaires qui lui restaient et le mandat initial ;

B) laisser à Kigali une force réduite pouvant servir d'intermédiaire entre les parties pour obtenir un cessez-le-feu et aider à la reprise des secours humanitaires ;

C) se retirer totalement du Rwanda.

À la suite de longues et intensives discussions avec New York, les généraux Dallaire et Anyidoho se rallièrent à l'idée de réduire leur force, compte tenu du manque de vivres et de la possibilité de subir d'inutiles pertes. Il faut dire que les gouvernements des pays participants avaient donné l'ordre à leur contingent de ne pas intervenir dans le conflit. En réalité, on l'a dit, la mission conserva 450 hommes, espérant pouvoir augmenter plus tard sa capacité et assumer de plus grandes responsabilités.

Pour le colonel Moeen U Ahmed, responsable des opérations de la MINUAR et officier supérieur du contingent du Bangladesh au Rwanda, il y eut une autre option, soit celle de conserver 2 100 militaires, le contingent du Bangladesh inclus, mais le général Dallaire, insatisfait du rendement de ce contingent, profita de l'occasion où l'on parlait de réduire l'effectif de la MINUAR pour s'en départir. Il faut dire que le colonel Moeen U Ahmed ne nia pas que son personnel n'avait pas la compétence et les aptitudes pour servir en situation de crise. Il l'admit sans détours dans un rapport qu'il présenta à l'ONU au mois de juin 1996 et dont je possède une copie. Je tiens par ailleurs de membres d'une ONG rencontrés au Rwanda l'information selon laquelle en temps normal, en dehors des opérations proprement militaires, les membres du contingent du Ghana, étaient, quant à eux, appréciés sur le terrain et aussi pour leur habileté à tout faire et leur grande disponibilité. Ils se transformaient volontiers en mécaniciens, en électriciens, en cuisiniers, et quoi encore, pour dépanner les civils.

Question. Le général Dallaire a été informé à quelques reprises de l'existence au Rwanda de caches d'armes et des endroits où elles se trouvaient. Il a pu vérifier la véracité de ces renseignements et prévenir le général Baril, au Département des opérations de la paix, à New York. Il lui a même dit qu'il avait l'intention de passer à l'action pour mener des fouilles et saisir ces armes. Pourquoi lui a-t-on répondu de ne rien faire dans ce sens ?

Commentaires. Il est vrai que le général Dallaire a été mis au courant de l'existence de caches d'armes le 11 janvier 1994 et de nouveau le 9 février suivant. Il est également vrai qu'il en a informé New York. On lui a répondu sana délai que cette information causait des soucis, mais contenait des contradictions et qu'il fallait en conséquence être prudent. Dans un second message adressé à la fois à Jacques Roger Booh Booh, représentant spécial du secrétaire général, et au général Dallaire, Kofi Annan, alors responsable du Département des opérations de maintien de la paix, ordonna au général de ne rien faire, l'opération envisagée allant clairement à l'encontre du mandat accordé à la MINUAR dans la Résolution 872 du Conseil de sécurité. La mission étant au Rwanda à l'invitation du gouvernement, c'était en conséquence à lui que le général devait s'adresser. C'est ainsi que le président de la République fut informé de ce qui se passait…et de ce qu'il savait vraisemblablement déjà. Pour ceux qui étaient au courant du fait que le parti du président n'était pas étranger à cette distribution d'armes, pour ne pas dire le président lui-même, cette réponse avait quelque chose de choquant. On raconte qu'à la suite de cette démarche la distribution d'armes loin d'être arrêtée fut accélérée. Demeurer totalement neutre au cours d'une mission de la paix est, semble-t-il, une obligation stricte, peu importent les conséquences. Il est intéressant de noter que l'enquête indépendante d'Ingvar Carlsson a blâmé l'ONU pour ne pas avoir accordé une plus grande importance au message envoyé par le général Dallaire le 11 janvier 1994.

Question. Pourquoi la MINUAR a-t-elle collaboré étroitement à la venue à Kigali d'un bataillon complet du Front patriotique rwandais et à son installation dans l'édifice du Congrès national pour le développement (CND) ? N'était-ce pas introduire le loup dans la bergerie ou le cheval de Troie dans les murs de la capitale ? Ne faut-il pas voir là une entorse à la neutralité que doivent respecter scrupuleusement les missions de maintien de la paix de l'ONU ? On sait d'ailleurs que ce bataillon facilita plus tard la prise de Kigali et accéléra la victoire du FPR sur les FAR.

Commentaires. Je me souviens d'avoir vu plusieurs fois sur le bureau du général Dallaire les volumes traitant de l'accord d'Arusha. Je les ai vus aussi à Kigali sur le bureau du premier ministre Twagiramungu. S'il en était ainsi, c'est que sans cet accord la MINUAR n'aurait pas existé. C'était à proprement parler sa raison d'être. Elle fut en effet autorisée par le Conseil de sécurité pour faciliter la mise en œuvre de cet accord. Or celui-ci ne faisait pas que prévoir l'établissement d'un gouvernement transitoire à base élargie, mais il définissait aussi les moyens pour en arriver là. Il était ainsi spécifié qu'un bataillon du FPR serait déployé dans Kigali pour assurer la protection et la sécurité des chefs politiques (FPR) appelés à faire partie du nouveau gouvernement. C'était donc là une étape essentielle dans le long processus devant mener au règlement final du retour des Tutsis réfugiés à l'étranger. Il est vrai que ce bataillon sortit de ses quartiers en avril 1994 et prit finalement part aux combats pour la prise de la capitale. Mais ce transfert de troupes du nord au sud fut considéré par le gouvernement comme un mal nécessaire pour atteindre un bien supérieur.

Question. La mort des 10 Casques bleus belges au Rwanda, au début des massacres généralisés, a fait couler beaucoup d'encre et donné lieu à des enquêtes au Rwanda et en Belgique, ainsi qu'à un procès mettant en cause le commandant du contingent belge.

Les familles des militaires qui ont péri aux mains de soldats rwandais surexcités et déchaînés ont pour leur part manifesté leur dépit et réclamé des compensations financières. Cela a amené plusieurs civils et militaires à se demander pourquoi la MINUAR n'a pas tenté une opération de sauvetage, puisqu'elle savait où étaient détenus les Casques bleus et qu'elle avait des raisons de croire qu'ils étaient encore vivants. Le dernier fut exécuté entre 12 heures et 14 heures.

Commentaires. Il est vrai que ce drame a donné lieu à des enquêtes d'envergure. Considérée comme sérieuse, la Commission d'enquête de l'ONU, présidée par le lieutenant-colonel Dounkov, a conclu que les officiers rwandais n'avaient pas pris part à ces exécutions, mais seulement de jeunes militaires rwandais. On a rapporté que ces derniers étaient devenus incontrôlables à l'annonce de la mort du président Habyarimana, croyant que ce dernier avait été exécuté par des militaires belges. Comme nous l'avons déjà mentionné, cette rumeur circula peu après le crash de l'avion pré-sidentiel. La Commission d'enquête interne des Forces armées belges a conclu pour sa part qu'aucune faute professionnelle n'avait été la cause de l'assassinat des paracommandos belges. Quant au colonel Marchal, commandant du contingent belge, accusé de non-assistance à personne en danger, il fut acquitté par un tribunal militaire, lequel conclut que l'envoi de secours « eût été excessivement risqué et voué à l'échec ». Je retiens quant à moi de mes entretiens avec le général Dallaire le fait qu'il ne disposait pas des centaines de fantassins nécessaires à une telle opération de sauvetage, ni des automitrailleuses et des mortiers requis pour investir la place. Il faut sans doute aussi prendre également en considération le fait qu'on savait peu de chose à ce moment-là sur les conditions de détention des militaires belges et qu'on avait raison d'espérer qu'à l'instar d'autres Casques bleus désarmés, ils pourraient être libérés au moyen de la négociation, l'arme par excellence des Casques bleus. Je retiens également, pour l'avoir vu, que le camp Kigali n'était pas une passoire, mais un vaste établissement entouré de murs de béton, et que n'entrait pas qui voulait dans ce camp.

Question. La question que j'ai entendue le plus souvent à mon arrivée au Rwanda est la suivante : pourquoi l'ONU nous a-t-elle abandonnés au début des massacres ? Cette question a été formulée par des membres d'ONG, de communautés religieuses et de simples citoyens, qui n'hésitaient pas à ajouter à l'occasion que jusqu'au début du mois d'avril, les Casques bleus étaient bien vus au Rwanda, mais qu'après la mort du président et le début des massacres il en fut autrement. Dans un document adressé au Conseil de sécurité par le secrétaire général le 29 avril, on lit « que la situation est d'autant plus grave (au Rwanda) que les parties semblent perdre confiance dans la MINUAR ».

Commentaires. Il ne semble pas possible de nier cette affirmation, d'autant plus qu'on croit généralement qu'elle n'était pas dépourvue de fondement. On ne saurait toutefois oublier ici que la MINUAR, qui comptait quelque 2 500 militaires au début des massacres, n'en comptait plus que 450 à la fin du mois d'avril. Rappelons que le contingent belge quitta le Rwanda dès le 19 de ce mois et qu'une dizaine de jours plus tard ce fut au tour du contingent du Bangladesh de faire de même, le chef d'état-major de ce pays ayant ordonné à ses hommes de ne prendre aucun risque. Bien plus, avant même que soit connue la mort des 10 Casques bleus belges, le personnel civil de l'ONU avait demandé à New York l'autorisation de quitter le pays. Ce qu'il fit dès le 8 avril, privant ainsi d'approvisionnement tous ceux qui dépendaient de lui. Il faut dire aussi que les ressortissants étrangers, au nombre d'environ 3 000, quittèrent également le Rwanda à cette époque. Enfin, le Conseil de sécurité, dans sa résolution du 21 avril, autorisa ce qui restait de la MINUAR à se borner à négocier un cessez-le-feu et à veiller à la distribution de l'aide humanitaire. Il n'était pas question d'intervenir pour protéger la population.

Le général Dallaire, qui n'a pas oublié cette période particulièrement difficile de sa mission, n'a pas hésité pour autant à prendre à cette époque des mesures pour venir en aide aux Rwandais qui s'étaient réfugiés dans le stade de Kigali pour sauver leur vie, ou bien encore dans l'hôtel des Mille Collines, l'hôtel des

Diplomates ou l'hôpital Roi-Faysal. Il n'est pas facile de dire combien de Rwandais ont agi de la sorte, mais on croit qu'ils furent entre 25 000 et 50 000. J'ai eu l'occasion de rencontrer quelques Rwandais qui trouvèrent alors refuge dans l'hôtel des Mille Collines, géré courageusement par Paul Rusesabagina. Si l'on en croit leurs témoignages, la protection qu'ils reçurent à cet endroit, malgré la présence de quelques Casques bleus, fut minimale. On sait, par ailleurs, que lorsque le temps vint de transférer une partie de ce monde derrière la ligne de feu occupée par le FPR, un certain nombre de réfugiés furent blessés ou perdirent la vie.

Il fallut en fait attendre jusqu'au 17 mai pour voir le Conseil de sécurité prendre des mesures pour tenter de protéger vraiment la population, et ce, à la demande expresse du général Dallaire. Ce jour-là, je l'ai écrit précédemment, le Conseil de sécurité approuva ce qu'il désigna sous le nom de MINUAR 2, dont l'effectif autorisé était de 5 500 militaires et dont le mandat était de contribuer à la sécurité et à la protection des personnes déplacées, des réfugiés et des civils en danger, ainsi que de veiller à la sécurité de la distribution des secours humanitaires.

Question. On peut comprendre pourquoi la MINUAR, ayant obtenu le 5 octobre 1993, un mandat de maintien de la paix et seulement la moitié de l'effectif de Casques bleus désiré, n'a pu intervenir en tant que force pour faire cesser les massacres. On s'est demandé toutefois pourquoi les Casques bleus ne sont pas intervenus pour sauver ou venir en aide au moins aux individus qu'on massacrait à leurs yeux. N'avaient-ils pas le devoir de faire quelque chose ?

Commentaires. Les militaires sur le terrain ont des règles à observer relativement à l'usage de la force ou de leurs armes. Ces règles, dites « règles d'engagement », sont normalement précises et publiées de façon que tous les militaires en cause sachent ce qu'ils sont autorisés à faire et à ne pas faire. Dans le cas de la MINUAR, le général Dallaire avait pris la précaution de rédiger une série de règles d'engagement pour ses Casques bleus. À l'occasion de nos rencontres, j'ai pu voir une copie du document qui les contenait et dont il avait envoyé l'original au Secrétariat de l'ONU ainsi qu'aux pays qui lui fournissaient des troupes. Comme l'ONU ne lui avait pas envoyé de réponse, il présuma qu'elles étaient approuvées. Au nombre de ces règles figuraient l'autorisation d'utiliser unilatéralement la force pour légitime défense et l'autorisation de le faire pour prévenir les crimes contre l'humanité. La MINUAR n'ayant pas de spécialistes en droit pour interpréter ces règles, Iqbal Riza, du Département des opérations de maintien de la paix, informa le commandant de la MINUAR du fait que lui et ses hommes n'étaient pas autorisés à utiliser la force s'ils n'étaient pas eux-mêmes attaqués. C'est ainsi qu'avant qu'il soit question de génocide au Rwanda, ou de crime contre l'humanité, soit avant la déclaration de Degni-Segui le 28 mai, les Casques bleus n'avaient pas le droit d'utiliser leurs armes s'ils n'é-taient pas eux-mêmes l'objet d'attaques, et cela pour éviter que le règlement de cas individuels ne dégénère en attaques contre la MINUAR de la part des forces rwandaises ou de la population. Par conséquent, durant la situation tragique que l'on sait, les Casques bleus continuèrent à utiliser la négociation, leur arme attitrée. Pour les auteurs de l'enquête indépendante commandée par Kofi Annan, la MINUAR a agi ainsi « dans un souci de neutralité qui cadrait avec une opération de maintien de la paix ».

Malgré l'existence de règles régissant l'usage des armes ou de la force au sein de la MINUAR, on sait que des accusations furent portées à la suite d'événements pour non-assistance à personne en danger. En Belgique, le colonel Luc Marchal fut incriminé pour ne pas avoir porté secours à ses paracommandos faits prisonniers et exécutés le 7 avril 1994. On sait qu'il fut toutefois exonéré de toute responsabilité. À la suite de massacres survenus à l'École Technique Officielle de Kicukiro, au moment du retrait du Rwanda du contingent belge, une action en justice fut aussi intentée contre la MINUAR pour non-assistance à personne en danger. Des éléments des troupes françaises furent également incriminés pour le même motif à la suite de l'évacuation des ressortissants européens au mois d'avril 1994. Plus tard, il en fut de même pour des éléments de l'opération Turquoise, à la suite cette fois de massacres perpétrés à Bisesero.

Au nombre des personnes rencontrées au cours de mes travaux, le père Yvon Pomerleau, après m'avoir décrit des massacres dont il avait été un témoin impuissant, a voulu rappeler qu'il existe une échelle de valeurs au sommet de laquelle se trouve la vie humaine. Les règles administratives lui sont naturellement subordonnées. Personne n'a le droit d'ignorer son semblable lorsqu'une ou des vies humaines sont menacées.

Chapitre XVI

Une priorité de l'ONU dans une impasse

Les 8 et 9 décembre 1995 se réunissait au U.S. Committee for Refugiees, dans un édifice du Département d'État, à Washington, un groupe de travail restreint sur le génocide au Rwanda. J'avais été invité à faire un exposé sur la négociation d'un cessez-le-feu entre les parties, au Rwanda, après la mort du président Habyarimana et le déclenchement des hostilités entre les Forces armées rwandaises (FAR) et le Front patriotique rwandais (FPR). On estimait que ce sujet était important puisque le Conseil de sécurité en avait fait une priorité dans sa résolution du 21 avril 1994, et ce, au détriment de l'aide qu'on espérait que le Conseil de sécurité apporterait à la MINUAR pour protéger les Rwandais des massacres. Allison Des Forges, de Human Rights Watch, présente à cette réunion voulait, entre autres, savoir pourquoi New York avait préféré la négociation d'un cessez-le-feu à des mesures concrètes aptes à mettre un terme aux massacres ou du moins à protéger les civils.

Compte tenu de ce contexte, je rappelai d'abord comment l'ONU avait décidé de réduire officiellement l'effectif de la force de la mission à 270 militaires, pour aborder ensuite la question de la négociation proprement dite d'un cessez-le-feu. En raison de l'avance rapide des forces du FPR vers le centre du pays, les FAR, la Garde présidentielle et la Gendarmerie rwandaise firent elles-mêmes de la signature d'un cessez-le-feu une priorité et demandèrent au général Dallaire, le 8 avril, de leur servir d'intermédiaire dans cette démarche. Ce qu'accepta le général. Mais comme il n'est jamais facile d'amener une armée en voie de gagner une guerre à un cessez-le-feu, il ne fut pas facile d'amener les représentants du FPR à une table de négociations. Après une intervention plutôt ferme du représentant spécial du secrétaire général, ils y vinrent finalement le 15 avril, mais y présentèrent une série de conditions dont la plus importante était un arrêt préalable des massacres dans tout le pays. La réponse des FAR, contenue dans une lettre signée par le général de brigade Marcel Gatsinzi deux jours plus tard, n'avait rien de très encourageant : les FAR se disaient prêtes à arrêter et à faire arrêter les massacres, mais à la condition que cessent d'abord les combats, ou qu'une trêve précède l'arrêt des massacres.

On tenta par la suite, du côté de la MINUAR, comme du côté du gouvernement intérimaire et des FAR, de trouver un terrain d'entente, mais ce fut peine perdue. Le 28 avril, alors que les massacres étaient en cours depuis le 7 de ce mois, le gouvernement proposa un cessez-le-feu aux conditions suivantes :

1) le retour du FPR et des FAR sur les positions d'avant le 6 avril ;
2) l'arrêt des massacres ;
3) le retour des personnes déplacées dans leurs foyers ;
4) l'accélération de la mise en place du gouvernement de transition à base élargie.

Deux jours plus tard, le général Dallaire se rendit au quartier général du FPR, situé à Byumba, pour présenter cette proposition au général Kagame. La réponse de ce dernier n'avait rien d'ambigu. Des notes prises par l'officier accompagnant le général Dallaire, j'ai extrait le passage suivant : « L'ONU est à blâmer pour ne pas avoir donné à la MINUAR un mandat adéquat au moment opportun. Ceux qui disent "arrêtez la guerre et nous arrêterons les massacres" font du chantage. Pour ce qui est du représentant spécial du secrétaire général, il n'est plus le bienvenu au Rwanda. S'il y reste, nous cesserons toute collaboration avec l'ONU ».

Boutros Ghali, le Secrétaire général de l'ONU, contrarié par la lenteur de ce que l'on appelait les négociations, pensa améliorer la situation en dépêchant à Kigali le 22 mai deux émissaires, soit le général Maurice Baril et Iqbal Riza, secrétaire général adjoint. Ceux-ci rencontrèrent les parties dans la capitale, à Mulindi et à Gitarama. De retour à New York, ils préparèrent un projet d'accord qui prévoyait une fois de plus d'abord un cessez-le-feu, ensuite un arrêt des actes de violence contre les civils. Malgré toute la bonne volonté et la détermination du général Anyidoho, nommé président du comité responsable de ce dossier, ce projet demeura lettre morte. Enfin, le 14 juin, le FPR revint une fois de plus avec des propositions, mais celles-ci, comme les autres, ramenaient les discussions au point de départ.

On s'est demandé pourquoi les Nations Unies ont tant insisté sur l'obtention d'un cessez-le-feu et fait si peu pour arrêter les massacres, comme le souhaitait le général Dallaire. L'importance qu'elles ont accordé à cette démarche provenait, semble-t-il, de la conviction qu'un arrêt des combats pacifierait vraiment le pays dans son ensemble. Une fois la paix revenue, les massacres cesseraient, les réfugiés reviendraient au Rwanda, les personnes déplacées réintégreraient leurs communes, les installations de la MINUAR, qui avaient été la cible de tirs occasionnels, redeviendraient sécuritaires, en particulier le quartier général de la mission et le stade Amahoro, ainsi que l'hôpital Roi-Faysal, l'hôtel des Mille Collines et l'hôtel Méridien, de même que l'aéroport. Quant à l'idée de revenir sur les positions d'avant le 6 avril, elle fut perçue comme une proposition venant du gouvernement français et le FPR crut voir là une manœuvre pour éloigner des tribunaux les responsables des massacres.

Le général Dallaire a exprimé lui aussi ses vues sur le sujet. On peut résumer sa pensée dans les termes suivants. Le gouvernement voulait un cessez-le-feu parce qu'il s'apercevait que ses forces résistaient mal à l'avance des troupes du FPR. Elles étaient militairement faibles. De son côté, le FPR n'en voulait pas parce qu'il avait l'impression qu'un cessez-le-feu limiterait considérablement sa détermination à arrêter les massacres et légitimerait du même coup le gouvernement intérimaire. Il se rendait compte qu'il devrait de plus mettre fin à son offensive et limiter son action pour empêcher les forces adverses de se regrouper. Quant à la MINUAR, elle serait appelée dans les circonstances à contrôler les lignes du cessez-le-feu ou de l'arrêt des troupes, et à établir tout un ensemble de règles à observer par les parties, par exemple, l'endroit où devront se trouver exactement les troupes, les munitions et les armes. Il lui reviendrait aussi d'obliger les forces gouvernementales à se rendre derrière les lignes pour forcer les milices impliquées dans les massacres à cesser leurs activités.

Le cessez-le-feu souhaité par l'ONU et le gouvernement intérimaire, ainsi que par les FAR, eut lieu le 18 juillet, mais ce fut avec l'annonce par le FPR de la fin de la guerre.

Le jugement qu'a porté sur cette affaire l'enquête indépendante présidée par l'ancien premier ministre de la Suède, Ingvar Carlsson, se lit pour sa part comme suit : « On a cherché avant tout à obtenir un cessez-le-feu et on n'a pas suffisamment proclamé l'indignation de la communauté internationale face aux massacres ; ce fut là l'erreur commise par le Secrétariat, les responsables de la MINUAR et le Conseil de sécurité. »

* * *

Le groupe de travail réuni à Washington se pencha sur plusieurs autres sujets relatifs au génocide. Il étudia en particulier l'activité subversive de la Radio des Mille Collines. Il y discuta aussi du nombre de victimes qu'avaient faites les massacres. Il vint à la conclusion qu'environ 800 000 personnes perdirent ainsi la vie au Rwanda en 1994, une estimation généralement acceptée de nos jours.

Enfin, au cours de nos séances de travail, Gérard Prunier, chercheur très distingué au Centre national de la recherche scientifique, à Paris, reçut de New York les premiers exemplaires de son volume intitulé *The Rwanda Crisis. History of a Genocide.* Chacun voulut en prendre connaissance immédiatement. La lecture des quelques lignes qui suivent affermit l'unanimité du groupe relativement à l'importance qu'auraient dû accorder l'ONU et ses membres à la protection des civils dès le 7 avril ou au plus tard le 20 de ce mois : « Celui qui veut se faire une idée de l'ampleur du génocide au Rwanda n'a qu'à penser aux milliers de cadavres qui jonchèrent le sol en une très courte période de temps. À Kigali, même en plein milieu des combats, on dut organiser des équipes pour ramasser les corps de peur qu'ils infectent la population. Ils étaient tellement nombreux qu'il fallut recourir à des camions à ordures pour suffire à la tâche [...]. Sur les collines, les corps des victimes demeuraient généralement là où ils avaient été abattus. Ils étaient empilés en tas de quatre à cinq pieds de hauteur et pourrissaient durant des semaines et des mois puisqu'il n'y avait plus personne pour les inhumer. Certaines rivières, telle que la Kagera, contenaient tellement de corps qu'elles en vinrent à polluer le grand lac Victoria [...]. Les massacres étaient généralement effectués grossièrement à la machette, ce qui rendait l'agonie des victimes longue et cruelle. On raconte que celles qui avaient un peu d'argent suppliaient leurs bourreaux de les achever au plus vite pour les libérer des affres de la mort. Souvent on violait les femmes avant de les exécuter. Un certain nombre d'enfants se joignirent aux Interahamwes et devinrent des tueurs, d'autres au contraire des victimes. Quant aux bébés, ils étaient lancés sur des rochers ou simplement jetés dans des latrines » (p. 255 -256).

Chapitre XVII

Le Secrétariat de l'ONU mis en cause par le Conseil de sécurité

Le 2 avril 1996, près de deux ans après la mort du président Habyarimana et le début des grands massacres au Rwanda, arriva au quartier général de la Force terrestre du Canada, à Saint-Hubert, Léonard Kapungu, le chef de l'unité « Lessons Learned » des Nations Unies, à New York. Il était accompagné de deux fonctionnaires du Département des opérations de maintien de la paix. Il venait cueillir des renseignements auprès du général Dallaire en vue d'un séminaire sur la mission de l'ONU au Rwanda, lequel était prévu pour le début du mois de juin suivant. Les questions auxquelles il cherchait des réponses étaient tellement nombreuses qu'elles donnaient l'impression que l'enquêteur ignorait tout des événements récents concernant le Rwanda. Il voulait savoir entre autres choses si le mandat octroyé par le Conseil de sécurité à la MINUAR était adéquat, si les moyens qu'on avait mis à la disposition de cette mission étaient suffisants, si la guerre civile aurait pu être prévue, s'il existait des règles d'engagement pour les Casques bleus, si le poste de représentant spécial du secrétaire général avait été utile et, finalement, pourquoi le général Dallaire n'avait pas pris des mesures offensives après la mort du président. Il semblait ignorer que les événements avaient déjà répondu à la plupart de ses interrogations. À la question à savoir s'il était possible de prévoir les massacres et la guerre civile de 1994, le général rappela à son interlocuteur qu'il y eut d'abord quelques assassinats de politiciens en vue et quelques massacres restreints ici et là dans le pays, soit des signes avant-coureurs d'événements de plus grande envergure. Il fit ensuite état de l'absence d'un véritable service de renseignements au sein des organismes de l'ONU, de même que du célèbre message du 11 janvier 1994 concernant des caches d'armes et des révélations d'un informateur ayant des liens avec les Interahamwes. Contre toute attente, Léonard Kapungu admit n'avoir jamais vu les messages concernant cette affaire et demanda si le général pouvait lui en fournir des copies. Il montra ainsi par sa demande que lui et son personnel du Secrétariat de l'ONU avaient été tenus à l'écart de cet incident. Pourtant le public en savait déjà beaucoup à ce moment-là, puisque le professeur Filip Reyntjens, un universitaire connu et respecté, avait déjà publié un livre dans lequel il était question de ce message adressé au général Maurice Baril et de la réponse du Département des opérations de maintien de la paix. Bien plus, Reyntjens avait cité non seulement le message entier envoyé au général Baril, mais aussi l'essentiel de la réponse de Kofi Annan. La méconnaissance de ce dossier avait de quoi étonner. Elle donnait la fausse impression que le général Dallaire n'avait pas tenu ses supérieurs au courant de la situation au Rwanda. On se souviendra sans doute du jugement rela-tivement récent qu'ont porté sur ce sujet les auteurs de l'enquête indépendante sur les événements au Rwanda, commandée par Kofi Annan lui-même : « de graves erreurs ont été commises en ce qui a trait au câblogramme du 11 janvier ; celui ci aurait dû notamment jouir de la plus haute priorité et sa teneur aurait dû être communiquée aux instances supérieures, notamment au secrétaire général et au Conseil de sécurité. On a omis de donner suite aux renseignements communiqués par l'informateur en ce qui avait trait au plan visant à exterminer un segment de la population, aux caches d'armes et à la menace qui planait sur le contingent belge. »

Le séminaire annoncé par Kapungu et ses aides eut lieu, sous l'égide des Nations Unies, à Plainsboro, au New Jersey, du 12 au 14 juin 1996. Son but était de permettre de tirer les leçons de l'expérience de la MINUAR au Rwanda de 1993 à 1996. À ce séminaire prirent part une centaine d'invités, dont 32 venaient de 18 pays ayant apporté une contribution quelconque à cette mission, et une douzaine d'experts de divers milieux. La MINUAR et quelques agences de l'ONU étaient naturellement bien représentées.

La première personne à prendre la parole fut Kofi Annan lui-même qui, à ce moment-là, était responsable du Département des opérations de maintien de la paix. Après un mot de bienvenue adressé aux participants qui n'étaient pas tenus au secret, il enchaîna en disant que « le Rwanda fut une terrible tragédie », que la réponse de l'ONU fut sans doute inadéquate et qu'il importait dès lors de l'analyser et de la réévaluer de façon qu'un tel événement ne se produise plus. Ayant estimé à près d'un million le nombre de personnes qui perdirent la vie durant cette hécatombe, il ajouta que le mandat donné à la MINUAR après la mort du président n'était pas pertinent et que celle-ci n'avait pas reçu les ressources nécessaires pour empêcher les massacres.

Après le bref exposé de Kofi Annan, ce fut au tour de M.T. Mapuranga, qui fut secrétaire adjoint de l'Organisation de l'unité africaine et négociateur de l'accord d'Arusha, de prendre la parole. Il démontra que le conflit rwandais fut un conflit non seulement politique, mais aussi ethnique, et qu'il était impossible de dissocier ces deux dimensions. L'intervenant suivant fut Colin Keating, ambassadeur de la Nouvelle-Zélande auprès de l'ONU. Nommé président du Conseil de sécurité le 1er avril 1994, il occupait donc ce poste lorsque fut assassiné le président du Rwanda et que commencèrent les massacres qui dévastèrent le pays. Son allocution, dont il m'a remis une copie, fut particulièrement appréciée. Elle confirma l'impression qu'avait laissée Kapungu lors de sa visite au Canada. Il soutint fermement que le Conseil de sécurité avait été mal renseigné par le Secrétariat de l'ONU en ce qui a trait aux événements du Rwanda, et ce, aussi bien au moment de l'établissement de la mission d'observation en 1993 qu'au moment de l'établissement plus tard de la MINUAR. Le Conseil de sécurité était convaincu, dit-il, qu'il ne s'agissait pas de l'éruption d'un volcan, mais bien d'une petite guerre civile. À ses yeux, la MINUAR avait mieux réagi aux événements que le Secrétariat l'avait fait. Si le Conseil avait été informé adéquatement et qu'on lui eût dit que la situation était dramatique, il aurait réagi différemment. Nul doute que le Secrétariat a été avare de renseignements, insista-t-il. Le Conseil a le droit de connaître les détails, comme il a le droit et le devoir d'intervenir lorsque la vie des êtres humains est en danger. Durant des semaines, le représentant spécial du secrétaire général (M. Booh

Booh) a laissé l'impression au Conseil de sécurité que le problème résidait dans un simple affrontement entre le FPR et le gouvernement. Le général Maurice Baril et M. Iqbal Riza, du Secrétariat de l'ONU, qui visitèrent le Rwanda à la demande de Boutros Boutros Ghali, durant la quatrième semaine de mai 1994, parlèrent quant à eux d'un conflit interne que les autorités rwandaises devaient résoudre elles-mêmes et qu'il ne revenait pas à l'ONU de le faire pour elles. Il faut dire que le rapporteur spécial René Degni-Segui ne remit son rapport dans lequel il était question du génocide des Tutsis qu'un mois plus tard, soit le 28 juin.

Mme Allison Des Forges, qui prit aussi la parole à Plainsboro, ne fut pas moins tendre que Colin Keating à l'endroit de l'ONU et du Secrétariat. Elle parla de « l'incroyable analyse » de la situation faite à New York. Même si on n'utilisait pas encore le terme « génocide », il était, selon elle, en progression et l'ONU se devait d'intervenir. Les généraux Dallaire et Anyidoho crurent alors devoir rappeler que la MINUAR n'avait ni le mandat ni les troupes nécessaires pour intervenir. Ces derniers renvoyaient ainsi la balle à New York.

Le général Dallaire revint plus tard à la charge en énumérant les divers domaines dans lesquels la mission était privée du nécessaire. Elle manquait, dit-il, de profondeur politique et de ressources financières, au point que lui-même n'avait pas l'argent nécessaire pour faire un appel téléphonique à New York. Elle manquait aussi des moyens de communication qui lui auraient permis d'expliquer aux Rwandais la raison d'être de la mission, également d'équipement et même de nourriture. Son personnel dut consommer à l'occasion des rations gâtées. Malgré cela, il ne fut pas question pour lui de quitter Kigali, la MINUAR ayant sous sa protection plus de 30 000 Rwandais dont la vie dépendait de sa présence.

Shaharyar Khan, qui succéda à Jacques Roger Booh Booh, appuya sans réserve les généraux Dallaire et Anyidoho et insista sur le fait qu'il s'agissait bien d'un génocide. Le général Tousignant parla pour sa part de la nécessité de maintenir les Casques bleus au Rwanda, après la guerre, pour assurer la sécurité et la protection des réfugiés, des personnes déplacées et des civils en danger.

Tous semblèrent d'accord sur ce point-là. Il parla lui aussi, après le représentant du Bangladesh, des quelque 60 000 Rwandais détenus dans les prisons du pays. On l'écouta poliment, mais ce fut presque tout sur ce sujet. Après avoir entendu parler d'un million de morts, ou presque, cette question ne semblait intéresser personne dans l'assemblée.

Parmi les sujets discutés durant le séminaire, trois d'entre eux firent toutefois l'unanimité : l'absence d'un système de renseignements adéquat au niveau de l'ONU, l'incompétence désastreuse du chef de l'administration des Nations Unies (CAO) sur le terrain et la nécessité à l'avenir de ne pas miser sur le nombre au moment de la formation d'une mission, mais sur la compétence.

À la suite de cette réunion, les membres du personnel du Secrétariat du séminaire établirent à 147 le nombre de leçons qu'on pouvait tirer de l'expérience de la MINUAR. Un nombre assez élevé pour qu'il soit possible d'en oublier plusieurs la prochaine fois. De ce nombre au moins une centaine concernaient la MINUAR ou le Secrétariat de l'ONU. Les autres avaient trait aux aspects humains des événements, aux droits de l'homme, aux relations avec les autorités politiques locales, à la justice, à la réconciliation et au tribunal international. L'ONU publia par la suite un compendium de toutes ces leçons, suivies d'explications faisant référence aux discussions dont il vient d'être question. Intitulée *Comprehensive Report on Lessons Learned from United Nations Assistance Mission in Rwanda (October 1993-April 1996)*, cette publication est accessible au public.

Vers la fin des délibérations surgit un problème auquel les Québécois sont habitués. À la suite d'un exposé présenté par un officier sénégalais fort sympathique, mais qui avait beaucoup de difficulté à s'exprimer en anglais, on suggéra au président d'autoriser à l'avenir l'usage du français et la présence de traducteurs, puisque plusieurs des personnes présentes à ce genre de réunions parlaient français. Le débat fut toutefois de courte durée. Le président trancha : nous n'avons pas d'argent pour cela. Point final. Ce fut aussi le point final de ce séminaire qui allait permettre au Secrétariat de l'ONU de faire un examen de conscience.

Chapitre XVIII

La tragédie rwandaise vue de New York

Le Conseil de sécurité, par la voix de son président, reprocha au Secrétariat de l'ONU de ne pas l'avoir mis au courant convenablement de la situation qui prévalait au Rwanda au printemps de 1994. De son côté, le général Dallaire, commandant de la MINUAR, manifesta son mécontentement à propos des délais que le même Secrétariat prenait pour répondre à ses demandes ou de la façon dont il y répondait, n'envoyant souvent qu'une partie des ressources sollicitées. Ayant pris connaissance de ces faits, je me suis demandé ce que savait le Secrétariat de la situation au Rwanda, ainsi que le Département des opérations de maintien de la paix. Le général Maurice Baril, qui était à l'époque conseiller militaire du secrétaire général de l'ONU, m'a accordé une entrevue et a répondu avec bienveillance à mes questions. Je l'ai rencontré à son bureau du quartier général de la Force terrestre, à Saint-Hubert, le 12 janvier 1996.

Le général voulut d'abord me rappeler combien il avait été difficile de concevoir et de mettre sur pied la mission dont avait besoin le Rwanda pour appliquer l'accord d'Arusha signé le 4 août 1993. Sa formation donna lieu, et je cite ici le général, «à un exercice de frustration incroyable». Le Rwanda requérait alors la présence d'un groupe-brigade mécanisé avec ses bataillons et ses divers services, c'est-à-dire environ 5 000 hommes. Mais le Conseil de sécurité voyait les choses différemment. Plusieurs pays croyaient qu'une petite force suffirait. C'était le cas de la France qui proposa qu'elle compte à peu près 500 observateurs non armés. Les États-Unis étaient disposés, quant à eux, à accepter une force d'un peu plus de 1 000 hommes, tandis que les pays non alignés en proposaient une un peu plus nombreuse. Pour ce qui est de la mission de reconnaissance envoyée précédemment au Rwanda, elle recommandait un total de 4 500 militaires. Finalement, le Conseil de sécurité, après avoir tergiversé, approuva le

5 octobre 1993 la formation d'une mission comptant seulement 2 300 militaires.

Le général Dallaire fut donc contraint d'accepter et d'organiser une force ayant seulement la moitié de l'effectif qu'il souhaitait après avoir dirigé la mission de reconnaissance qui séjourna au Rwanda durant les deux dernières semaines d'août 1993. Avec l'effectif réduit que le Conseil approuva, il était manifeste que la MINUAR n'aurait pas la capacité nécessaire pour influencer vraiment la situation. On pouvait néanmoins espérer qu'elle pourrait contribuer à la mise en œuvre du célèbre accord, et ce, avec deux demi-bataillons, soit celui de la Belgique et celui du Bangladesh, un bataillon du Ghana, et la bonne volonté des parties.

Mais la MINUAR avait non seulement besoin d'hommes, mais elle devait être bien équipée, en particulier sa force de réaction rapide. Le commandant fit aussitôt des démarches en ce sens. Malheureusement, se souvient le général Baril, à cette époque « les troupes et la logistique faisaient lamentablement défaut » à l'ONU. Bien plus, au Secrétariat on cherchait à faire des économies et à obtenir de l'équipement qui avait été utilisé dans d'autres missions de l'ONU. Pour répondre rapidement aux besoins, il aurait fallu disposer de logisticiens efficaces, et l'ONU en avait peu. Bref, le Secrétariat ne possédait pas les moyens pour répondre adéquatement à la situation.

Mais il n'y avait pas qu'un problème de ressources humaines, matérielles et financières. L'information que détenait l'ONU était insuffisante et le jugement qu'elle pouvait porter sur les événements était en conséquence discutable. Selon le général Baril, on croyait possible au Secrétariat qu'il y ait au Rwanda des tueries, comparables par exemple à celles qu'avait connues l'Afrique dans le passé, et plus récemment le Burundi. Mais on ne croyait pas qu'elles pourraient faire jusqu'à 50 000 ou 90 000 victimes. Imaginer qu'environ un demi-million de personnes allaient perdre la vie était par ailleurs impensable. On savait cependant que des armes avaient été cachées et qu'elles seraient vraisemblablement distribuées aux Interahamwes. On croyait aussi qu'il était probable

Le général Dallaire reçoit à son quartier général de Montréal
l'ancien premier ministre du Rwanda Faustin Twagiramungu.
De gauche à droite, le major Brent Beardsley, l'ancien premier ministre
Twagiramungu, Jacques Castonguay, le capitaine André Demers,
le colonel Robin Gagnon, le général Roméo Dallaire et
le major Jean-Guy Plante.
(Photo : ministère de la Défense nationale)

qu'elles allaient servir un jour, mais on ne songea à aucun moment que cela se terminerait dans une «frénésie de tireurs». Il a fallu le crash de l'avion présidentiel et la mort du président pour comprendre que le pays s'en allait à la catastrophe.

Parlant du message que le général Dallaire lui avait envoyé le 11 janvier 1994, relativement à un informateur et à des caches d'armes, le général Baril précisa d'abord que ce message «n'annonçait pas qu'on allait tenter d'éliminer la race des Tutsis. Il donna lieu cependant à des discussions au Secrétariat sur le mandat exact de la MINUAR. La mission était-elle autorisée à effectuer un ou des raids pour s'emparer des armes cachées ici et là? On arriva vite à la conclusion que cette façon de faire dépassait le mandat d'une mission de maintien de la paix et qu'en conséquence il fallait demander à la gendarmerie d'accomplir cette tâche.

« L'ampleur des massacres préoccupait aussi l'ONU, mais on ne voulait pas à New York entendre parler de génocide. Les grandes puissances, qui avaient connu la Deuxième Guerre mondiale, s'y opposaient. On savait toutefois que des têtes allaient rouler, mais en aucun temps on imagina ce qui se passa. Il est vrai que les *Monday morning quaterbacks* le savaient, mais pas nous. On était par ailleurs au courant que des assassinats avaient été planifiés et qu'il en était ainsi de certains massacres, mais pas à la grandeur du pays, ni de l'importance que l'on sait aujourd'hui.

« Quoi qu'il en soit, on voulait faire quelque chose. Croyant que quelqu'un venant de l'extérieur aurait peut-être plus de chances d'être entendu, le Département prépara un document qui nous parut acceptable en vue de l'obtention d'un cessez-le-feu. Nous nous sommes ensuite rendus au Rwanda [le général et Iqbal Riza], où nous avons eu des rencontres à Kigali, à l'hôtel des Mille Collines, à Gitarama, où se trouvait le gouvernement, et à Mulindi, le quartier général du FPR. Il y eut des négociations, mais aussi des réactions très négatives. D'un côté, le FPR, qui était en voie de gagner la guerre, n'était pas intéressé à un cessez-le-feu à ce stade-là. Il cherchait plutôt à obtenir un arrêt des massacres. Du côté du gouvernement, on n'aimait pas nous voir traiter avec le FPR. On cherchait plutôt à utiliser l'ONU pour arrêter et éliminer celui qu'il considérait comme leur ennemi. Bien plus, les Interahamwes étaient présents dans toutes les villes et tous les villages et étaient jugés incontrôlables. Après cinq jours de négociations, durant lesquels nous avons aussi rencontré Paul Kagame, nous sommes rentrés à New York, laissant au commandant adjoint de la MINUAR, le général Henry Anyidoho, la responsabilité de poursuivre les discussions. »

* * *

Au cours de ma rencontre avec le général Baril, il fut aussi question des massacres de Kibeho où je m'étais rendu l'année précédente. On ne parla pas du partage des responsabilités, mais du nombre de personnes qui perdirent la vie à cette occasion. Le gouvernement soutint alors qu'il n'y eut qu'environ 300 morts. Cette estimation parut totalement inacceptable. Pour le grand prévôt de la MINUAR, qui fit sa propre enquête, le nombre de personnes qui furent tuées entre le 22 et le 23 avril 1995, dans cette paroisse éloignée du Rwanda, varie de 1 200 à 1 500. Quant au personnel médical australien attaché à la MINUAR, il arriva, après un examen attentif des lieux, à un nombre de 4 500 personnes. Cette question fut aussi discutée au Secrétariat de l'ONU, selon le général Baril. Après une étude des divers rapports qui lui furent présentés, ce dernier conclut qu'à peu près 4 000 personnes perdirent la vie de diverses façons à Kibeho. Dans le volume que j'ai publié sur les Casques bleus au Rwanda, j'ai apporté plusieurs renseignements additionnels sur ce sujet.

Le texte qui précède ne rapporte pas mot à mot, il va sans dire, ce qui s'est dit au cours de ma rencontre avec le général Baril. Il constitue néanmoins un résumé fidèle des idées émises à cette occasion et le plus souvent dans les termes mêmes utilisés durant cette rencontre.

En guise d'épilogue

S'il me fallait faire une observation générale sur ce dont j'ai pris connaissance au cours de mes recherches, je dirais qu'il ne suffit pas pour résoudre un problème de relations humaines interpersonnel ou collectif de concevoir de beaux plans, encore faut-il prendre en considération la complexité du comportement humain et y adjoindre l'aide essentielle à l'exécution de ces plans. Dans le cas qui nous intéresse, soit la résolution du problème rwandais, j'ai constaté que la plupart des personnes interrogées sur les mandats attribués aux missions de l'ONU au Rwanda se sont dites satisfaites de leur contenu, tant du point de vue des Hutus que de celui des Tutsis. Il en fut toutefois bien autrement en ce qui a trait à l'attribution des ressources essentielles à leur exécution. Il n'y a pas eu que le général Dallaire pour se plaindre du manque de ressources humaines et matérielles, ce fut aussi le cas des autochtones et des étrangers témoins des événements. Bref, le Conseil de sécurité a su concevoir des mandats généralement satisfaisants, mais il n'a pas su aller beaucoup plus loin, si ce n'est sur le plan de l'aide humanitaire une fois la guerre et les grands massacres terminés. On ne saurait davantage oublier que les mandats en question étaient considérés comme réalisables à la condition que les parties manifestent de la « bonne volonté ». Or, ce concept présupposait presque l'abdication éventuelle de revendications vues comme légitimes de part et d'autre depuis des décennies, pour ne pas dire davantage, et la suppression de sentiments collectifs jugés généralement indéracinables. Quoi qu'il en soit, la force a triomphé en 1995 et on semble aujourd'hui avoir trouvé un certain modus vivendi qui, on l'espère, n'est pas aussi fragile qu'on le croit généralement.

CHAPITRE XIX

RÉTROSPECTIVE ET REPÈRES HISTORIQUES

Le régime monarchique et la période coloniale

Peu après les événements survenus en 1994 au Rwanda, le premier ministre Faustin Twagiramungu, qui m'a reçu à Kigali, m'a dit de son pays et je le répète ici, qu'il fut cette année-là rien de moins que « le diable sorti de l'enfer ». On sait que le général Roméo Dallaire a tenu des propos semblables, affirmant qu'il avait « serré la main du diable » au Rwanda. De même, la presse internationale, qui a parlé abondamment à l'époque de tueries, de carnages et de massacres dans ce pays, a tenu elle aussi un langage analogue. On ne saurait pour autant conclure qu'il en fut toujours ainsi. Bien qu'on sache peu de chose sur l'histoire ancienne du Rwanda, en raison de l'absence de documents, plusieurs scientifiques ont soutenu au moins deux thèses importantes sur le peuplement de cette partie de l'Afrique centrale.

Jusqu'à récemment, les anthropologues s'entendaient généralement pour affirmer que les premiers habitants du Rwanda furent les Twas pygmoïdes, qui vivaient de chasse et de cueillette. Ils auraient été suivis avant l'an 1000 par les Hutus, qui s'adonnèrent pour leur part au défrichage et à l'agriculture. Enfin, entre le Xe et le XVIIIe siècle seraient apparus dans les collines rwandaises les Tutsis, des pasteurs possédant d'importants troupeaux. On a écrit que vu leur ressemblance avec les Galla ou les Omoro d'Éthiopie, on peut vraisemblablement situer leur région d'origine au nord-est du continent africain.

Cette thèse, dite traditionnelle, a toutefois été mise en doute par un certain nombre d'ethnologues qui pensent aujourd'hui que les Hutus et les Tutsis, qui partagent la même langue, la même conception de la monarchie et d'un dieu unique, en un mot la même culture, formaient il y a plusieurs siècles un seul groupe ethnique. Quant aux caractéristiques physiques qui les distinguent (le fait en particulier que les premiers soient habituellement de taille moyenne et les seconds de grande taille), elles s'expliqueraient par des facteurs nutritionnels liés à leur principale occupation. Les Hutus, vivant traditionnellement de la culture de la terre, s'alimentaient, croit-on, surtout de céréales et de haricots, tandis que les Tutsis, vivant avant tout d'élevage, se nourrissaient de préférence de lait et de sang venant de leur bétail. On a écrit par ailleurs que ces distinctions furent accentuées par les colonisateurs allemands et belges, et par les missionnaires qui considérèrent les pasteurs comme des nobles formant une sorte d'élite et les agriculteurs, majoritaires dans le pays, comme une classe économiquement et culturellement faible et dominée.

La tradition orale, qui véhicule des récits fabuleux et plusieurs généalogies dynastiques, permet aussi de croire que le royaume du Rwanda, composé à l'origine de petits royaumes et de chefferies, aurait été unifié progressivement à partir de l'an 1506. Sous le roi, propriétaire de tout le bétail et détenant en principe un pouvoir absolu, se trouvait, croit-on, une classe dirigeante, ou de seigneurs guerriers. Ces seigneurs étaient tenus de protéger les paysans auxquels ils octroyaient une part des bovins, dont le *mwami* ou roi, leur avait cédé l'usufruit. Quant aux paysans, ils devaient en retour verser à leurs maîtres des prestations sous forme de travail et de produits agricoles. Au bas de l'échelle venaient les Twas, considérés plus ou moins par les deux autres groupes comme des êtres marginaux inaptes à accomplir des tâches difficiles. Ces trois groupes, pensent plusieurs spécialistes, « coexistèrent » très longtemps sans opposition marquée dans une sorte d'équilibre où chacun semblait avoir sa place.

On sait aussi qu'en 1885 la Conférence de Berlin attribua cette région à l'Empire allemand. Cherchant à faire connaissance avec ceux qu'ils considéraient dès lors comme leurs sujets, des Allemands commencèrent en 1892 à explorer le pays et à prendre occasionnellement contact avec la population indigène qui s'y trouvait. C'est ainsi que sept ans plus tard, le roi Yuhi Musinga en arriva à leur confier la défense de son pays.

Les Rwandais vivent d'agriculture et d'élevage.
(Photo : J. Castonguay)

L'Allemagne, qui se contenta de pratiquer l'administration indirecte au Rwanda, consistant à utiliser les institutions en place, dérangea peu les relations Tutsis-Hutus. Ce fait, croit-on, constitua néanmoins un tournant dans l'histoire du pays en ouvrant la voie non pas aux influences des fonctionnaires de la Deutsch Ost Afrika, mais à celle des missionnaires. Dès 1900, les pères blancs y fondèrent une première mission et commencèrent, concurremment avec l'évangélisation, l'alphabétisation du peuple. Plusieurs communautés religieuses vinrent plus tard se joindre à eux, si bien que l'éducation devint avec les années l'affaire presque exclusive de l'Église catholique.

Les Allemands furent toutefois délogés du Rwanda par les Belges en 1916, durant la Première Guerre mondiale. Ces derniers occupèrent alors le pays, et ce, jusqu'en 1924, alors qu'ils reçurent un mandat de la Société des Nations qui leur confia une véritable « mission de civilisation ». Invités à développer le pays au bénéfice des populations locales, les Belges pratiquèrent eux aussi l'administration indirecte, mais non sans introduire progressivement un certain nombre de changements importants. Cela ne manqua pas de plaire aux uns et de déplaire aux autres. La pratique de l'administration indirecte elle-même, qui eut pour effet de renforcer le pouvoir des éleveurs et la bureaucratisation de la chefferie, déplut naturellement aux agriculteurs, tout comme l'obligation de payer des impôts. Les mesures prises pour diminuer le pouvoir du roi Musinga déplurent à ce dernier qui manifesta sa désapprobation. Ainsi, le colonisateur crut devoir le déposer. Ce qui eut lieu le 12 novembre 1931. Quant aux mesures prises pour améliorer le sort des paysans, comme la diminution des heures de travail qu'on pouvait exiger d'eux et l'octroi d'un certain contrôle sur leur production, elles n'eurent pas l'heur de plaire aux « seigneurs ». Enfin, le partage des terres, fait ou toléré par l'administration belge, déplut à un peu tout le monde.

Quoi qu'il en soit, au lendemain de la Deuxième Guerre mondiale, le 20 décembre 1946, les Nations Unies renouvelèrent leur confiance dans la Belgique en lui donnant à leur tour un mandat de tutelle sur le Rwanda (et le Burundi), avec la mission explicite d'émanciper le peuple. Dans ce cas comme dans le précédent, les choses n'allèrent pas sans heurt, et malgré l'aide fournie par la puissance de tutelle, aussi bien les Rwandais que la communauté internationale ne tardèrent pas à manifester leur insatisfaction. Dès 1948, les Nations Unies faisaient ainsi part à la Belgique de leur mécontentement face aux efforts déployés par elle sur les plans politique et administratif. En 1951 et 1954, elles revenaient à la charge pour exprimer cette fois leur inquiétude quant à la domination subie par les Hutus, au nombre de missionnaires œuvrant dans le domaine de l'éducation et au manque d'intérêt pour l'enseignement supérieur (United Nations Trusteeship Council Visiting Mission, 1948, 1951 et 1954).

Ces pressions répétées ne demeurèrent pas sans effet. Malgré les appels au secours lancés par les Tutsis qui voyaient en cela leurs droits ancestraux menacés, les Belges acceptèrent en 1952 d'introduire des conseils représentatifs à tous les échelons de l'administration. Il est vrai que les premières élections n'apportèrent pas de changements importants dans les structures en place, mais le mouvement qui allait modifier la vie des Rwandais était enclenché.

L'Église catholique qui, avec la Belgique, avait vu d'abord l'avenir du Rwanda dans les Tutsis, changea elle aussi d'attitude avec le temps. La nouvelle génération de missionnaires, attentive aux besoins des pauvres et des paysans, n'hésita pas à faire siennes leurs revendications. L'instruction, qui était demeurée longtemps l'apanage de l'élite tutsie, s'étendit alors aux Hutus. S'il est juste de dire que peu d'entre eux fréquentaient l'école primaire au début du XXᵉ siècle, au cours des années 1950 même l'enseignement leur devint progressivement accessible. C'est ainsi d'ailleurs qu'apparurent à cette époque des revendications de plus en plus pressantes en leur faveur.

Les annales des années 1950 rappellent que l'appui de l'Église catholique à la cause des paysans ne se limita pas à la formation scolaire proprement dite. Il prit différentes formes. Le journal *Kinyamateka*, par exemple, édité par les pères blancs dès 1933 et considéré comme l'organe de presse de l'épiscopat, ne demeura pas indifférent à ce qui se passait alors au pays. À compter de 1954, année où Grégoire Kayibanda, ancien séminariste et futur président de la République, fut nommé rédacteur en chef de cette publication, des articles de plus en plus engagés trouvèrent une place dans ses pages. « On y distillait année après année en Kinyarwanda, lit-on dans un rapport inédit, partout sur les collines de "bons" ferments révolutionnaires. » La nomination à Kabgayi, en 1955, de Mgr André Perraudin, comme vicaire apostolique, ne mit pas un frein aux revendications. Au contraire, Grégoire Kayibanda, devenu secrétaire particulier de ce dernier, trouva en lui un appui de taille. C'est ainsi qu'au mois de mars 1957 parut le célèbre *Manifeste des Bahutus* dénonçant le monopole des Tutsis sur le développement politique, économique, social et culturel du pays. Accueilli sans enthousiasme par le vice-gouverneur général Jean-Paul Harroy, qui en accepta toutefois les conclusions, et rejeté par l'administration tutsie, ce document plut à l'Église catholique qui en approuva, dit-on, chaque ligne. Quant à la Mission des Nations Unies pour les territoires sous tutelle, qui visita le pays du 25 septembre au 5 octobre, elle évita de se prononcer sur le document lui-même, mais revint à la charge pour demander des réformes plus profondes, une accélération de l'émancipation des Hutus et une place plus importante pour eux dans l'administration du pays (United Nations Trusteeship Visiting Council Mission, 1957).

Face à ces faits, il semblait de plus en plus évident à la fin des années 1950 que le vent de libération et d'indépendance, qui soufflait sur l'Afrique depuis déjà une vingtaine d'années, n'allait pas épargner le Rwanda.

La révolution et l'avènement de la République rwandaise

Les années qui suivirent la publication du *Manifeste des Bahutus* furent, sur le plan politique, des années d'agitation fébrile. Joseph Habyarimana Gitera, le fondateur de l'Association pour la promotion de la masse (Aprosoma), intensifia son action en créant, en 1958, un périodique voué à la défense des intérêts des Hutus. À l'Aprosoma vint s'ajouter, avec Grégoire Kayibanda, le Parti du mouvement de l'émancipation des Hutus (Parmehutu). Les Tutsis, après avoir nié l'existence même d'un problème au pays, répliquèrent à ces initiatives l'année suivante en fondant l'Union nationale rwandaise (Unar), avec pour objectif la défense du statu quo, et le Rassemblement démocratique rwandais (Rader) favorable à la démocratisation des institutions dans le cadre d'une monarchie constitutionnelle.

Le roi, ou *mwami*, Mutara Rudahigwa, dont le trône commençait à s'effriter, chercha lui aussi à protéger ses intérêts. Pressé par l'Aprosoma de demander au Conseil supérieur de l'État d'étudier les relations entre Hutus et Tutsis, il consentit, question d'apaiser ses adversaires, à mettre sur pied une commission mixte ayant pour mandat d'examiner les problèmes sociaux du pays et de faire des recommandations au Conseil supérieur. Cette commission fit diligence et recommanda deux mois plus tard la nomination de Hutus à des postes administratifs et juridiques et une plus grande ouverture à l'endroit des Hutus dans le domaine de l'éducation. Pendant qu'au Rwanda on se penchait sur ces recommandations, le *mwami* se rendit en Belgique pour y plaider sa cause. À Bruxelles, il comprit cependant que le colonisateur n'avait pas l'intention d'ignorer les demandes formulées l'année précédente par la Mission des Nations Unies pour les territoires sous tutelle. Néanmoins, le 16 avril 1959, la Belgique décida de former un groupe de travail auquel elle confia la responsabilité d'étudier les problèmes politiques et sociaux inhérents à son mandat en Afrique.

Malgré ces quelques initiatives, la situation demeura très tendue au Rwanda. À la suite d'une série d'événements nébuleux, elle devint même catastrophique au cours de l'été et de l'automne de 1959. Le *mwami* Mutara, à la fois menacé dans ses prérogatives par la puissance de tutelle et soutenu dans ses initiatives par les pays du bloc communiste, décida au mois de juillet de se rendre à New York pour plaider la cause de l'indépendance de son pays devant les Nations Unies. Le 25 de ce mois, après avoir assisté à Usumbura à la projection du film *Les Seigneurs de la forêt*, il se rendit consulter son médecin et recevoir les vaccins nécessaires à son voyage. En l'absence de ce dernier, c'est un remplaçant qui le reçut et lui administra, selon les journaux, une mystérieuse piqûre antibiotique. Terrassé, le roi s'écroula dans les bras du médecin.

Cette mort, considérée comme mystérieuse par la plupart des auteurs, ne fut pas suivie d'une autopsie. Certains observateurs croient qu'on ne saurait néanmoins négliger ici le fait que le roi appuyait alors la cause du Congo belge dans sa lutte pour l'indépendance. Quoi qu'il en soit, cette mort, qu'on a tendance à comparer à celle du président Habyarimana en 1994, déclencha un cycle d'incidents violents qui assombrirent le reste de l'année. Le mois de novembre fut en particulier fertile en émeutes. Quelques centaines de Tutsis et de Hutus y trouvèrent la mort, des milliers d'habitations furent détruites et de très nombreux Rwandais, des Tutsis surtout, durent chercher refuge dans les pays voisins. N'eût été l'intervention des troupes belges, comprenant des unités venues du Congo, placées sous le commandement du colonel Guy Logiest, le Rwanda aurait sombré, croit-on, dans la guerre civile.

Le roi n'ayant pas de descendants, les spéculations, manœuvres et intrigues quant au choix de son successeur allèrent bon train durant les heures qui suivirent sa mort. Les membres de son entourage, prenant l'initiative, choisirent de profiter de ses funérailles pour désigner la personne de leur choix. Durant la cérémonie, à laquelle assistaient une foule nombreuse et plusieurs notables et personnalités belges, les Birous, ou conseillers de la cour, firent applaudir, voire plébisciter, le nom de Kigeri V, un jeune homme respectueux des traditions et favorable au statu quo. Les autorités belges n'ayant pas été consultées, ce geste fut perçu par elles et les Hutus comme un véritable coup d'État. Les Tutsis y virent quant à eux le signal de la fin prochaine de l'ère coloniale.

La révolution commencée dans le sang en 1959 se poursuivit de façon moins violente, mais tout aussi décisive, au cours des années 1960 et 1961. Les Tutsis, en s'opposant à la puissance de tutelle et en faisant appel aux Nations Unies, favorisèrent la formation de deux groupes distincts : d'une part, les Tutsis, les Nations Unies et le *mwami*, en principe neutres mais en réalité opposés aux demandes des Hutus ; d'autre part, les Hutus, les Tutsis modérés et la puissance de tutelle, eux aussi en principe neutres mais sympathiques à la majorité hutue. Sensible aux protestations des Tutsis et cherchant à résoudre le conflit dans un climat d'harmonie, la Mission des Nations Unies pour les territoires sous tutelle demanda en 1960 le report des élections prévues pour le mois de juin et l'organisation à Bruxelles d'une conférence portant sur l'ensemble du territoire Rwanda-Urundi où serait discutée la question de l'autonomie gouvernementale et de l'indépendance (United Nations Trusteeship Visiting Council Mission, 1960). La conférence en question, qui eut lieu du 30 mai au 7 juin, ne donna toutefois pas les résultats escomptés et fut suivie par les élections communales. Le Parmehutu de Grégoire Kayibanda remporta alors 2 390 sièges sur 3 125, l'Aprosoma 233, le Rader 209 et l'Unar 56. Bouleversés par ces résultats, les Tutsis contestèrent ce scrutin et demandèrent la levée de la tutelle. Quant aux Hutus, enthousiastes, ils réclamèrent la déchéance immédiate du *mwami*, l'organisation d'élections législatives et la formation d'un gouvernement provisoire. Le gouvernement belge hésita d'abord, puis au mois d'octobre décida d'interdire le retour au pays du *mwami* et d'autoriser la formation d'un gouvernement provisoire. Deux mois plus tard, les Nations Unies répliquèrent en votant deux résolutions, la première pour demander également de renvoyer à plus tard les élections législatives et d'organiser une deuxième conférence de conciliation, la seconde résolution pour demander le retour du *mwami* au Rwanda jusqu'à ce qu'un référendum décide de son avenir. La Belgique accepta alors de reporter les élections législatives et organisa une conférence à Ostende, tout en décidant d'accorder, le 25 janvier 1961, l'autonomie au gouvernement provisoire formé au cours du mois d'octobre précédent. Ce que fit le colonel Logiest, nommé résident spécial au Rwanda un mois plus tôt. Trois jours plus tard, les maires récemment élus et les conseillers du pays réunis à Gitarama proclamèrent le Rwanda république. Sans tarder, le 1er février suivant, le gouvernement belge sanctionna cette décision.

Pressée d'intervenir par le *mwami* et ses partisans, l'Assemblée générale des Nations Unies se contenta de rappeler, le 21 avril, ses résolutions du 20 décembre de l'année précédente. Le 25 septembre 1961 eurent donc lieu des élections législatives et un référendum organisé par la puissance de tutelle, le tout conformément à la résolution 1605 de l'Assemblée générale. Supervisées par l'ONU, ces élections donnèrent 35 sièges sur 44 au Parmehutu, 7 à l'Unar, 1 au Rader et 1 à l'Aprosoma. La monarchie fut abolie quant à elle par 80 pour cent des votes exprimés. Enfin, la république du Rwanda, tout comme celle du Burundi, fut officiellement proclamée le 1er juillet 1962.

Le Rwanda indépendant sous Grégoire Kayibanda

Le Rwanda devint donc indépendant officiellement le 1er juillet 1962. À compter de cette date et pendant plus de dix ans, il vécut à l'heure de Grégoire Kayibanda, son premier président, et du parti politique qu'il avait fondé, le Parmehutu, porté au pouvoir à l'occasion des élections législatives du 25 septembre 1961.

Kayibanda naquit à Kabgayi en 1924 d'un père mushi, une des ethnies du Congo belge (Zaïre), et d'une mère hutue. La première partie de sa vie s'écoula dans l'entourage des pères blancs. Il étudia d'abord à l'école de la mission catholique de sa ville natale, puis, à l'âge de 19 ans, au grand séminaire de Nyakibanda. Ses études terminées, il enseigna à l'Institut Léon Classe, à Kigali. Sa connaissance de la langue française et du kinyarwanda, la langue rwandaise, lui valut d'être secrétaire des Amitiés belgo-congolaises, éditeur du journal diocésain *L'Ami*, rédacteur en chef de l'important journal de l'Église catholique au Rwanda, *Le Kinyamateka*, et secrétaire particulier de Mgr André Perraudin, un père blanc d'origine suisse nommé vicaire apostolique à Kabgayi. Le nom de Kayibanda figure aussi sur la liste des neuf signataires du célèbre *Manifeste des Bahutus*. Avec l'appui des pères Dejemeppe et Ernotte, considérés comme ses mentors, il visita la Belgique en 1950 et 1957 et de nouveau en 1958, pour y étudier cette fois le journalisme. Initié à la doctrine sociale de l'Église catholique et sensibilisé aux problèmes des paysans, il fit en 1959 du Mouvement social hutu qu'il avait fondé le Parmehutu.

Les premières années du Rwanda sous Kayibanda et son parti furent marquées par la disparition du régime foncier d'antan et de certaines structures héritées du régime colonial. Le développement et la promotion de la majorité hutue constituant une priorité pour eux, les grands pâturages appartenant surtout aux Tutsis furent rapidement subdivisés et ce qui restait des troupeaux partagé entre les paysans. Des initiatives furent également prises pour étendre l'enseignement à l'ensemble de la population et développer l'enseignement supérieur. C'est à cette époque, plus précisément en 1962, que le père Georges-Henri Lévesque, un religieux canadien, fonda à Butare l'Université nationale du Rwanda.

Des efforts furent aussi déployés pour exploiter le potentiel économique du pays et tenter de contrer les effets négatifs résultant de l'éloignement de la mer et du manque de ressources naturelles. L'infrastructure routière fut alors améliorée, certaines ressources énergétiques développées, l'économie agricole mieux orientée et un régime douanier mis en place.

Sur le plan politique, le Rwanda, à l'instar de nombreux pays africains devenus à cette époque souverains, créa aussi sa propre armée, se dota d'un système monétaire et chercha à affirmer le pouvoir de son président. Dès février 1963, la participation de l'Unar au gouvernement, qu'avait acceptée Kayibanda à la demande pressante des Nations Unies, cessa et par le fait même la participation des Tutsis.

En réalité, les Tutsis, exclus du pouvoir à l'occasion de la révolution hutue, assombrirent toute l'administration du premier président, tout comme celle de son successeur d'ailleurs. Les quelque 200 000 d'entre eux réfugiés dans les pays voisins, en compagnie d'un certain nombre d'opposants hutus, ne se résignant pas à leur sort, donnaient leur appui aux *Inyensis*, des bandes armées qui dès les premiers mois de l'indépendance organisèrent des opérations de guérilla le long des frontières. La fin de l'année 1963 fut particulièrement sanglante. Aux mois de novembre et de décembre, venant du Burundi, ils envahirent le pays par le sud. Les nuits des 20 et 21 décembre donnèrent lieu à des affrontements particulièrement violents, à une vingtaine de kilomètres seulement de Kigali. Ces incursions furent repoussées, mais des milliers de Tutsis furent tués par mesure de représailles. La plupart des auteurs estiment qu'environ 10 000 Tutsis furent alors massacrés, d'autres croient que leur nombre fut beaucoup plus élevé. On parla alors pour la première fois de génocide. À chaque raid suivaient de nouveaux massacres et de nouveaux exodes. Une mission des Nations Unies, qui enquêta en 1964 sur les troubles de l'année précédente, estima à 250 000 le nombre de Tutsis réfugiés à cette époque dans les pays voisins. La proportion des Tutsis au Rwanda passa ainsi de 16 pour cent en 1959 à seulement 7 pour cent en 1964. Les Tutsis ne désarmèrent pas pour autant. Ils affrontèrent de nouveau la Garde nationale rwandaise trois ans plus tard, cette fois à une cinquantaine de kilomètres de la capitale.

Malgré cette situation difficile, Kayibanda demeura le choix incontesté des Hutus à l'occasion des élections tenues en 1965 et 1969. En 1965, il fut réélu pour une durée de quatre ans par 98,9 pour cent des voix exprimées, et en 1969 par 99,6 pour cent. Dans les deux cas, la totalité des 47 sièges de l'Assemblée nationale lui fut acquise. Après une période d'accalmie relative, difficilement dissociable de l'ampleur des représailles, la situation se détériora de nouveau en 1972. Une vague de persécutions frappa en particulier les étudiants, les professeurs et les employés de bureau. On expliqua ce phénomène par les traitements subis à cette époque par les Hutus au Burundi, mais aussi par l'opportunisme politique et le racisme ethnique « des petits bourgeois munis de diplômes ou en passe de l'être ». De nombreux Tutsis furent ainsi écartés des domaines de l'éducation, de l'administration et des affaires. On estima qu'environ 300 personnes perdirent alors la vie.

Le mécontentement causé par ces heurts ethniques, les excès et les abus du régime, ainsi que les frustrations de la population de la région de Ruhengeri, dans le nord du pays, face à celle de Gitarama, dans le sud, eurent bientôt raison de Kayibanda que l'usure du pouvoir rendait chaque jour moins supportable. Le 5 juillet 1973, il fut renversé pacifiquement par le major général Juvénal Habyarimana, son chef d'état-major. Mis en état d'arrestation, avec ses ministres, il fut accusé d'être responsable des frictions ethniques récentes. Trouvé coupable, il fut condamné à mort, mais sa sentence fut commuée en emprisonnement à vie l'année suivante. Négligé par son successeur, il finira ses jours dans l'isolement et le dénuement complet, ne pouvant même pas se nourrir décemment. On croit aussi qu'il mourut empoisonné ou peut-être de troubles cardiaques, le 22 décembre 1976.

Juvénal Habyarimana, président de la République

L'arrivée au pouvoir d'Habyarimana en 1973 fut accueillie sans résistance de la part des Rwandais, en particulier des Tutsis qui n'avaient pas été épargnés depuis la déclaration d'indépendance. Les violations des droits de l'homme dont ils avaient été victimes jusque-là, commises au nom de la règle de la majorité, avaient laissé froide la communauté internationale.

Né en 1937 dans la préfecture de Gisenyi, dans le nord du pays, Habyarimana commença ses études auprès des siens, puis se rendit au Zaïre y entreprendre les humanités et les mathématiques, au Collège Saint-Paul de Bukavu, et débuter des études en médecine, à Kinshasa. Intéressé par la carrière militaire, il renonça toutefois rapidement à la médecine et rentra à Kigali pour poursuivre ses études à l'école d'officiers de l'endroit. Diplômé de cette institution, il assuma successivement, entre 1961 et 1964, les responsabilités de commandant de section, commandant de compagnie, officier d'état-major et finalement commandant de la Garde nationale. En 1965, alors qu'il ne détenait encore que le grade de major, Kayibanda en fit son ministre responsable de la Garde nationale et de la Police. Promu lieutenant-colonel en 1967 et colonel en 1970, il devint major général trois mois avant le coup d'État de 1973.

Habyarimana, tout particulièrement au début de sa carrière politique, projetait l'image d'un chef charismatique. Grand, énergique, intelligent, subtil et ayant un sens de la répartie peu commun, il savait séduire aussi bien les foules que les individus. Il inspirait confiance, rassurait les timorés et incitait à l'action. Parlant surtout de développement et prônant la réconciliation nationale, il sut rallier rapidement l'ensemble de la population, si ce n'est les gens du sud demeurés fidèles à Kayibanda.

Bien que sa personnalité et son attitude face aux relations Hutus-Tutsis fussent différentes de celles de son prédécesseur, les grands problèmes qui marquèrent la première décennie de la

République demeurèrent présents au cours des années qui suivirent. Sur le plan économique, le problème numéro un demeura le développement, sur le plan politique, ce fut celui du pouvoir et sur le plan social celui des nombreux réfugiés dans les pays voisins.

Habyarimana forma son premier gouvernement le 1er août 1973, un peu moins d'un mois après avoir écarté Kayibanda. Soucieux de plaire aux civils et d'obtenir leur collaboration, il n'hésita pas à confier à ces derniers la responsabilité de plusieurs ministères, tout en réservant cependant les plus importants à des militaires ayant servi sous ses ordres. De l'opposition, il ne fut cependant pas question. Le Parmehutu fut dissous et la Constitution de 1962 suspendue. Bien plus, l'armée ou Garde nationale et la Police, appelées à le soutenir dans ses actions, furent réunies en une seule entité. Dans le même esprit, Habyarimana voulut célébrer le deuxième anniversaire de la Deuxième République en fondant en 1975 le Mouvement révolutionnaire national pour le développement (MRND), un parti politique auquel appartenaient en principe tous les Rwandais et qui excluait du même coup le pluralisme politique. Enfin, trois ans plus tard, le 17 décembre, à l'occasion d'un référendum, l'électorat approuva une nouvelle Constitution et une réorganisation complète du système judiciaire. Quelques jours plus tard, Habyarimana récoltait le fruit de ses réformes. Il était confirmé dans ses fonctions par un vote presque unanime de 99 pour cent. Il sera par la suite réélu de la même façon jusqu'à sa mort en 1994.

De concert avec les mesures destinées à renforcer le pouvoir du président et de son gouvernement, la Deuxième République, sous Habyarimana, déploya une somme d'énergie considérable pour accroître le développement notamment rural. De nombreux accords qu'on ne saurait inventorier ici furent signés avec des pays africains, des pays de la Communauté économique européenne, en particulier la France, la Belgique et la République fédérale d'Allemagne, et avec le Canada, les États-Unis et la Chine. Des plans biennaux et quinquennaux furent élaborés et mis en place, des agences de développement créées et de nouvelles mesures fiscales et un code d'investissement approuvés. Des dispensaires et de nombreuses coopératives ouvrirent leurs portes. Les organisations non gouvernementales se multiplièrent. Au milieu des années 1980, une centaine de projets furent ainsi réalisés. En 1988, environ 500 coopérants et quelque 300 volontaires œuvraient dans le pays. Néanmoins, l'histoire montra en 1989 et 1990 que, malgré toute cette agitation et la bonne volonté, la famine pouvait encore frapper à la porte, comme ce fut le cas dans la préfecture de Gikongoro.

* * *

Habyarimana dépensa beaucoup d'énergie pour adapter le système politique de son pays à ses besoins et développer l'économie du Rwanda. Contrairement à ce qu'on espérait, il fit moins pour résoudre le problème des réfugiés, du moins jusqu'en 1990. Il adopta bien quelques mesures d'apaisement, fit des déclarations sur « la nécessité de dépasser les querelles ethniques » et travailla à réinstaller quelques dizaines de milliers de Barnyarwandas au cours des années 1980, mais c'était peu, compte tenu du grand nombre de Rwandais vivant hors du pays. Généralement bien perçu à ses débuts comme chef d'État, Habyarimana commença à perdre de l'éclat dans les années 1980. Il s'en trouva parmi ses opposants, surtout à l'étranger, pour l'accuser de dissimuler la corruption de son régime, d'être cruel à l'égard des prisonniers politiques, de favoriser indûment les membres de sa famille et d'avoir mis en place un régime totalitaire s'appuyant sur la peur. Cette opposition commença à se manifester au Rwanda même en 1989. On pouvait lire dans de petits journaux des articles dénonçant les abus, les détournements de fonds et les fuites de capitaux. Au mois d'août 1990, une trentaine d'intellectuels n'hésitèrent pas non plus à publier un manifeste réclamant la démocratisation des institutions et l'abolition de l'obligation pour les Rwandais d'appartenir au MRND.

Le Front patriotique rwandais (FPR), issu en 1987 de la Rwandese National Union (Ranu) regroupant des milliers de Rwandais vivant en Ouganda, fit sien ce genre de revendications en inscrivant à son programme la lutte contre la corruption, l'abolition de la discrimination ethnique et le développement des entreprises. Ce fait, tout comme le fait que de nombreux réfugiés et descendants de réfugiés avaient acquis en Ouganda, auprès de l'armée de Museveni, la respectabilité et une expérience militaire indéniable, n'échappa pas à l'attention d'Habyarimana. Aussi, de 1988 à 1990, il accepta de prendre part à des pourparlers avec l'Ouganda sur la question des réfugiés. Mais comme, après deux ans, on n'avait fait des progrès que sur des points techniques et non sur la question des réformes politiques proprement dites, le FPR ne cacha pas son mécontentement et commença à réagir.

L'année 1990 fut particulièrement difficile. Le 31 mai, une émeute ébranla l'Université nationale du Rwanda. Des étudiants furent blessés et le préfet de Butare et le chef de la police locale suspendus. Au début de juillet, les éditeurs de deux bimensuels furent arrêtés et accusés d'avoir mis la sécurité de l'État en danger en appuyant les Tutsis. À l'occasion de la visite du pape Jean-Paul II, en septembre, Habyarimana accorda une amnistie à tous les prisonniers du pays, à l'exception des prisonniers politiques. Mais l'événement le plus important fut d'un autre ordre. Le 1er octobre, environ 7 000 membres du FPR envahirent le nord du Rwanda. Commandés par Fred Rwigyema, un Tutsi respecté qui avait gagné ses épaulettes dans l'armée ougandaise, les envahisseurs, équipés de mortiers, de canons d'origine soviétique et de lance-roquettes, connurent un certain succès, du moins jusqu'à l'arrivée de troupes françaises et belges (venues au Rwanda pour aider à l'évacuation de leurs ressortissants), ainsi que zaïroises. Cette invasion provoqua l'arrestation, en particulier à Kigali, de milliers de Tutsis et d'opposants politiques. Le ministre de la Justice parla d'abord de 2 582 personnes arrêtées. Plus tard, il fut question de 5 000, de 8 000 prisonniers et même davantage, le plus grand nombre soumis à de mauvais traitements, dit-on, et détenus dans des conditions éprouvantes.

Le 1er novembre, les forces rwandaises, après avoir infligé des pertes importantes à l'envahisseur, réussirent à le repousser hors de leurs frontières. D'autres incursions, organisées celles-là par Paul Kagame, rentré en hâte au pays pour remplacer les chefs tués au début des opérations, eurent lieu le 12 décembre et le 23 janvier de l'année suivante. Dans ce dernier cas, les troupes du FPR réussirent à s'emparer de Ruhengeri et à libérer les prisonniers détenus dans l'établissement à sécurité maximum de l'endroit. Les troupes du Zaïre et de la Belgique quittèrent le Rwanda rapidement, mais les troupes françaises y demeurèrent.

L'invasion donna lieu à de nombreux massacres. Le 8 octobre 1990, entre 500 et 1 000 Himas du Mutura, un sous-groupe tutsi, furent massacrés. Entre le 10 et le 13 du même mois, environ 400 Tutsis de la commune de Kibilira subirent le même sort. À la fin de janvier 1991, entre 500 et 1 000 Bagogwes, des Tutsis vivant sur les pentes des volcans du nord, furent aussi tués. D'autres massacres de cette sorte survinrent en 1992. On parla alors d'une véritable chasse aux Tutsis.

Habyarimana ne demeura pas inactif après l'invasion de 1990. Sous la pression de ses voisins et de pays nordiques, il accepta de tenter de trouver une solution permanente au problème des réfugiés, en compagnie des présidents du Zaïre, de la Tanzanie, du Burundi, de l'Ouganda, de l'Organisation de l'unité africaine et de l'ONU. En acceptant aussi de modifier la Constitution, il ouvrit également la porte au multipartisme et reconnut la liberté de presse. C'est ainsi qu'apparurent le Mouvement démocratique républicain (MDR) le Parti social démocrate (PSD), le Parti libéral (PL), le Parti démocrate-chrétien (PDC) et la Coalition pour la défense de la République (CDR), un parti extrémiste prônant la suprématie des Hutus. Conjointement avec ces initiatives, Habyarimana augmenta par ailleurs de façon importante l'effectif de son armée, qui passa d'environ 7 000 hommes en 1990 à 30 000 en 1992, et encouragea la formation des milices interahamwe, affiliée au MRND, et impuzamugambi, associée au CDR. Selon l'organisation Human Rights Watch, de grandes quantités d'armes légères et de munitions furent alors achetées à l'Afrique du Sud, à l'Égypte et à la France.

Les discussions entreprises par Habyarimana et ses homologues africains, le lendemain de l'invasion de 1990, donnèrent certains résultats. Le 19 février 1991, ces derniers signèrent la déclaration de Dar es-Salaam dans laquelle le Rwanda acceptait le retour des réfugiés dans leur pays. Le 29 mars suivit à N'sele, au Zaïre, la signature d'un cessez-le-feu avec le FPR. L'application et la surveillance de cet accord soulevèrent toutefois plusieurs difficultés. Il fut d'abord décidé à Gbadolite, au Zaïre, qu'il serait surveillé par 15 officiers du Nigeria et 15 officiers du Zaïre, mais comme le groupe tarda à prendre position, la France assuma d'abord cette responsabilité. On imagine bien que le FPR, qui considérait la France comme un pays allié au Rwanda, accepta mal cette mesure. Le 12 juillet 1992, on revint donc sur cet accord à Arusha pour en confier cette fois le contrôle à un groupe d'observateurs militaires (GOM) de l'Organisation de l'unité africaine. Un mois plus tard, le problème n'était toutefois pas encore résolu. Les observateurs désignés cherchaient toujours comment établir un couloir neutre entre les territoires contrôlés par les parties en cause, se disaient insatisfaits de leur mandat qui ne les autorisait qu'à signaler des violations et se plaignaient de la présence des militaires français qui n'avaient pas encore quitté le Rwanda.

L'accord de cessez-le-feu signé le 29 mars 1991 n'apporta ni l'ordre ni la paix dans le pays et aux frontières. En 1991, ils étaient 10 000 Rwandais à Kigali à crier leur désapprobation à l'égard du régime en place. Leur nombre s'éleva à 100 000 le 8 janvier 1992, quelques jours après la formation d'un nouveau cabinet. Des manifestations semblables eurent lieu à Gitarama et à Butare. Durant la même année, des massacres se produisirent à Bugesera, à Ruhengeri, à Gisenyi et dans la région de Kibuye. À Bugesera seulement, environ 3 000 personnes furent tuées et 15 000 déplacées. Il y eut aussi de nombreuses échauffourées étudiantes et des attaques violentes des milices contre des membres des partis d'opposition et des affrontements entre partisans du MRND et du Parti libéral. Le Centre de recherche sur les gorilles fondé par Dian Fossey, à Karisoke, fut également saccagé et son personnel mis en fuite.

Espérant faire cesser les massacres, le FPR n'hésita pas à se manifester à l'occasion dans le nord du pays. À la fin du mois d'avril 1992, il s'empara d'une partie de la province de Byumba, tua, estime-t-on, quelque 200 soldats rwandais et s'empara de 60 pièces d'artillerie. Il se manifesta de nouveau entre le 2 et le 6 juin, ainsi que le 15 de ce mois, toujours dans la région de Byumba. Le mois de janvier 1993 fut marqué par la signature du protocole de l'accord d'Arusha sur la fin des massacres, le maintien de l'État de droit et la constitution d'un gouvernement de transition à base élargie incluant le FPR. Cette signature ne mit pas non plus un terme aux violations observées ici et là en 1992. C'est ainsi que le FPR déclencha le 8 février une seconde offensive en direction de Kigali. Visant à accélérer la mise en œuvre de l'accord récemment signé, elle rappelait l'invasion de 1990. L'appui des militaires français aux troupes rwandaises fut, dit-on, ici aussi important. À cette occasion, environ 300 Tutsis perdirent la vie et plus de 750 000 personnes furent déplacées.

Les Nations Unies priées d'intervenir

Ces affrontements successifs et coûteux de part et d'autre amenèrent le Rwanda et l'Ouganda à demander à l'ONU le déploiement d'observateurs le long de leur frontière commune. Le Conseil de sécurité des Nations Unies accéda à cette demande en créant le 22 juin 1993 une mission dont le rôle fut de vérifier qu'aucune assistance militaire ne transite à cet endroit. Le 4 août de la même année, les deux parties, à la suite de laborieuses négociations, signèrent finalement à Arusha, en Tanzanie, un accord de paix qui prévoyait entre autres l'établissement prochain d'un gouvernement à base élargie, c'est-à-dire avec la participation des grands partis politiques. À la suite d'une demande conjointe émanant cette fois du Rwanda et du Front patriotique rwandais, le secrétaire général de l'ONU accepta d'envoyer sur le terrain une mission pour s'enquérir de la façon dont la société internationale pourrait contribuer le plus efficacement à l'établissement pacifique du gouvernement prévu dans l'accord de paix. Cette mission s'acquitta rapidement de cette tâche et recommanda, comme le demandaient les parties en cause, l'envoi au Rwanda d'une force internationale neutre de 4 500 militaires. L'ONU réagit aussi positivement à cette demande, mais n'autorisa l'envoi que de 2 548 militaires. Le commandement de cette mission, dite MINUAR, fut confié au général Roméo Dallaire, un officier de nationalité canadienne. Quant aux principaux contingents formant cette force, ils furent fournis par la Tunisie (60), la Belgique (424), le Bangladesh (933) et le Ghana (800). Malgré de nombreux accrochages et tiraillements, cette force réduite fonctionna honorablement durant les six premiers mois de son existence et contribua, dans la limite de ses moyens, à préparer l'établissement prochain d'un gouvernement à base élargie.

Les événements des premiers mois de l'année 1994 ne laissèrent toutefois rien présager de bon. Non seulement l'établissement d'un nouveau gouvernement n'eut pas lieu tel que prévu au début de janvier, mais la force de réserve de Casques bleus envisagée ne vit pas le jour. Tandis que les assassinats politiques se multipliaient, les miliciens mettaient au point leurs méthodes dans l'art de tuer rapidement les opposants au régime en place. Les armes continuaient par ailleurs d'affluer dans le pays et l'on s'apprêtait à en faire la distribution. La Radio des Mille Collines, opposée elle aussi à l'établissement d'un gouvernement à base élargie, se faisait jour après jour plus agressive, attaquant non seulement le FPR, mais la MINUAR et son commandant qui, exaspéré, multipliait ses demandes d'aide auprès du Département des opérations de maintien de la paix de l'ONU.

La mort du président, la guerre civile et les massacres

Lors des entrevues que Faustin Twagiramungu m'accorda à Kigali et à Montréal, il fut question de l'importante rencontre au sommet de Dar es-Salaam le 6 avril 1994. Il est vrai, selon mon interlocuteur, que les participants à cette réunion discutèrent du gouvernement à base élargie dont il était question dans l'accord d'Arusha. Il est également vrai que les participants étaient parvenus à s'entendre sur la composition du gouvernement à venir et que le président Habyarimana avait accepté la participation du FPR à ce gouvernement, conformément à la liste présentée par Twagiramungu, qui était alors premier ministre désigné. Il n'est pas moins vrai qu'Habyarimana devait rendre publique cette liste ce jour-là, à son retour à Kigali.

On connaît la suite de cette histoire. Cette décision prise, au début de la nuit, Habyarimana, accompagné du président du Burundi et de quelques conseillers dont le chef de l'Armée rwandaise, le colonel Deo Gratias Nsabimana, quitta Dar es-Salaam à bord de son avion personnel, un Falcon 50. À 22 h 22, au moment d'effectuer son approche de l'aéroport de Kigali, son appareil fut touché de plein fouet par un ou deux missiles et s'écrasa en flammes au nord-est du camp de la Garde présidentielle de Kanombe. Il n'y eut aucun survivant, seulement des corps déchiquetés et calcinés, des débris et la précieuse boîte noire de l'avion. Le général Dallaire me confia un jour qu'il avait vu cette boîte sur le bureau de son quartier général de Kigali, sans toutefois m'en dire davantage, si ce n'est qu'il n'y eut pas d'enquête officielle sur cette tragédie. Cet attentat mortel, perçu comme un signal, fut suivi par des escarmouches à l'aéroport, des levées de barrages dans la ville, des massacres isolés, puis généralisés et bientôt une autre guerre opposant la force du FPR à l'Armée rwandaise.

Dix ans plus tard, on continue toujours de s'interroger sur l'identité des responsables de cet assassinat collectif. Au nombre des thèses formulées à l'époque, celle qui veut que le FPR en soit l'auteur compte encore plusieurs partisans, en particulier en France. Selon les tenants de cette thèse, seuls les membres de la force du FPR possédaient les connaissances et l'expertise requises pour réussir un tel coup sans l'aide de mercenaires. Ils soulignent en particulier le fait que le FPR disposait de missiles fabriqués en Russie depuis l'invasion de 1990 et qu'il en aurait alors fait usage. Bien plus, selon eux, le FPR serait passé à l'action durant la nuit du 6 avril avant même que le public soit mis au courant de la mort du président. Dans le livre que j'ai publié en 1998, j'ai aussi écrit que le FPR, traditionnellement proactif et anxieux de voir l'accord d'Arusha mis en place et de participer à la vie politique du pays, a imaginé ce stratagème pour pouvoir intervenir militairement sans encourir la réprobation de la communauté internationale.

Cette thèse, contestée naturellement par les personnes mises en cause, le fut aussi par un certain nombre d'auteurs qui se refusent à croire que le FPR, principal bénéficiaire de la réunion de Dar es-Salaam, se serait permis d'abattre celui-là même qui venait d'accepter sa participation au gouvernement à venir. À leurs yeux, il existe d'autres suspects tout autant sérieux, sinon plus. Les soupçons pèsent en effet sur certains membres de la Coalition pour la défense de la République, sur les Hutus opposés à l'accord ou sur l'entourage du président. On croit généralement que ces derniers auraient pu faire appel à des mercenaires. On a émis également d'autres hypothèses qui ne retiennent plus l'attention des chercheurs de nos jours.

Durant la nuit qui suivit ce drame, 10 Casques bleus belges chargés d'assurer la sécurité d'Agathe Uwilingiyimana, première ministre, furent capturés, désarmés et amenés au camp Kigali où ils trouvèrent la mort aux mains de militaires rwandais, qui croyaient, dit-on, que les Belges avaient tué leur président. Quant à Madame Agathe, comme on appelait familièrement la première ministre, elle réussit d'abord à s'enfuir, puis fut capturée et tuée avec son mari. Les jours suivants, l'accord d'Arusha fit place à une guerre civile et à des massacres généralisés des Tutsis et de leurs sympathisants. L'ONU, de son côté, avec le consentement des dirigeants de la MINUAR, réduisit le nombre de Casques bleus à 270, le 21 avril, et leur donna pour tâche principale de tenter d'obtenir un cessez-le-feu de la part des belligérants. À la demande du général Dallaire et du secrétaire général Boutros Ghali, le Conseil de sécurité accepta toutefois le 17 mai de revenir sur sa décision du mois d'avril et donna à sa mission un mandat élargi incluant la protection des personnes déplacées, des réfugiés et des civils en danger. Concurremment, il augmenta l'effectif de la force à 5 500 militaires. Les massacres, qui avaient fait environ 800 000 victimes, cessèrent cinq semaines plus tard, mais non sans l'arrivée de troupes françaises ayant obtenu de l'ONU le mandat d'établir dans l'ouest du pays une « zone humanitaire sure ».

Quant à la guerre, elle cessa le 18 juillet avec l'annonce par le FPR de la fin des hostilités. Au cours des mois qui suivirent et jusqu'au début de l'année 1996, la MINUAR et les ONG collaborèrent avec le gouvernement au retour des réfugiés et des personnes déplacées dans leurs communes respectives et appuyèrent diverses initiatives d'aide humanitaire, le tout dans l'espérance d'une réconciliation nationale prochaine. On retient en particulier de cette période les événements qui entourèrent la fermeture du camp de Kibcho au mois d'avril 1995. L'opération, particulièrement délicate, occasionna des affrontements entre l'Armée rwandaise et les quelque 150 000 personnes qui s'y trouvaient. Entre 4 000 et 5 000 d'entre elles perdirent la vie à cette occasion.

BIBLIOGRAPHIE SÉLECTIVE

African Rights, *Rwanda:Death, Despair, and Defiance*, Londres, African Rights, 1994.

Braeckman, C., *Rwanda, Histoire d'un génocide*, Paris, Fayard, 1994.

Bugingo, F., *La mission au Rwanda. Entretiens avec le général Guy Tousignant*, Montréal, Liber, 1997.

Castonguay, J., *Les Casques bleus au Rwanda*, Paris, L'Harmattan, 1998.

Chrétien, J.-P., « Église, pouvoir et culture. L'itinéraire d'une chrétienté africaine », *Les Quatre Fleuves*, vol. X, n° 2.

Comprehensive Report on Lessons Learned from United Nations Assistance Mission for Rwanda (UNAMIR), October 1993-April 1996, New York, Department of Peacekeeping Operations, 1996.

Crépeau, P., *Rwanda, le kidnapping médiatique*, Hull, Éditions Vents d'Ouest, 1993.

Dallaire, R., *Shake Hands with the Devil. The Failure of Humanity in Rwanda*, Random House Canada, 2003.

Dallaire, R., *J'ai serré la main du diable, La faillite de l'humanité au Rwanda*, Montréal, Éditions Libre Expression, 2003.

Destexhe, A., *Rwanda. Essai sur le génocide*, Bruxelles, Complexe, 1994.

Dorsey L., *Historical Dictionary of Rwanda*, The Scarecrow Press Inc., Metuchen, N.J., et Londres, 1994.

Erny, P., *Rwanda 1994*, Paris, L'Harmattan, 1994.

Kagame, A., *Un abrégé de l'ethno-histoire du Rwanda*, Butare, Éditions universitaires du Rwanda, 1972.

Kagamé, F., « Dossier : le Rwanda », *Regards africains*, 31 août 1994.

LaRose-Edwards, P., *The Rwandan Crisis of April 1994, The lessons learned*, International Human Rights, Democracy & Conflict Resolution, Ottawa, n° 10, 1994.

Logiest, G., *Mission au Rwanda : un Blanc dans la bagarre Hutu-Tutsi*, Bruxelles, Didier-Hatier, 1988.

Off, C., *The Lion, the Fox & the Eagle*, Toronto, Random House Canada, 2000.

Prunier, G., *The Rwanda Crisis. History of a Genocide*, New York, Columbia University Press, 1995.

Reyntjens, F., *Rwanda. Trois jours qui ont fait basculer l'histoire*, Paris, L'Harmattan, 1995.

Verschave, F.-X., *Complicité de génocide*, Paris, Éditions La Découverte, 1994.

Willame, J.-C., *L'ONU au Rwanda*, Bruxelles, Éditions Labor, 1996.

INDEX

Rader (Rassemblement démocratique rwandais) : 139,
 141, 142
Radio des Mille Collines : 24, 29, 120, 152
Radio Rwanda : 42
Read, commandant Robert. : 61
Reay, lieutenant général Gordon : 32
Régiment des transmissions : 54, 68, 69
Remera : 89
Représentant spécial du secrétaire général : 22, 65, 94,
 110, 117, 118, 122, 124
Resolute Bay : 33, 61
Riza, Iqbal : 115, 118, 125, 130
Rodrigue, Denise : 27
Royal Canadian Regiment : 20
Ruhengeri : 51, **53**-55, **57**, 144, 149, 150
Rusesabagina, Paul : 114
Russie : 86, 153
Rwamagana : 82
Rwandese National Union (RANU) : 16, 147
Rwigyema, Fred : 148

S
Sahara : 17
Sainte-Famille, église : 41
Saint-Hubert : 32, 37, 104, 122, 127
Saint-Michel, cathédrale : 42
Simard, capitaine Pierre : 74
Société des Nations : 136
Somalie : 20, 22, 61, 69, 106
St-Denis, capitaine J.Y. : 61

T
Tanzanie : 44, 90, 149, 151
Thulé : 33
Tousignant, major-général Guy : 11, 12, 40, 44, 45,
 65-73, 76, 96, 97, 103, 125, 133